流通経済大学社会学部創設30周年叢書

自由の地域差

ネット社会の自由と束縛の地理学

福井一喜

流通経済大学出版会

序章

――「自由」とはいったい何だろうか。この魅力的で、しかし捉えがたい概念の理解に、多くの人々が取り組んできた――

自由を論ずる本はだいたい、こういう書き出しになっている気がします。

たしかに、自由は魅力的で捉えがたい概念です。

なので自由を論ずる本もだいたい、『魅力的』である自由を得るためにはどうすればよいのか？」という問題に、抽象的で捉えがたい、概念的な考察によって答えを出そうとします。

ただ、筆者は、自由をあまり魅力的なものだとは考えていません。また、本書は、抽象的・概念的にのみ、自由を論ずるものでもありません。

本書は、「自由」のあまり魅力的ではない側面に注目します。そして、自由の可能性や限界を、「地理学」の視点から、いくつかの現実の地域を題材として考えていきます。

地理学とは、ごく簡単にいえば、地域差の学問です。

地理学は「あらゆる事柄には地域差がある」という立場から、どのような事柄には、どのような地域差が、なぜあるのか、その地域差の存在が何を意味するのかを考える学問です。

そして「自由」のように、人間の活動に関する地理学を、人文地理学と呼びます。学校の科目としての「地理」は誰もが知っていても、学問としての地理学や人文地理学は、一般的にはなじみがないかもしれません。本書は、自由という、身近だけれどもよくわからないテーマを入り口として、それを人文地理学的に考えていく試みを通して、人文地理学の考え方や枠組みに触れてほしいと思って書かれています。

本編に入る前に、本書ではどのような問題意識のもと、どのようなことを、どのような方法で論じるのかをまとめておこうと思います。

＊　＊　＊

いまの世の中は自由すぎるのでは？

「自由すぎて何をしたらよいのか分からない。」それがいまの世の中の気分ではないでしょうか。既存の価値体系がゆらぎ、多様な価値観があってよいとされる世の中は、それだけ「自由」になっているといえます。いい大学に入って四年で卒業するのが正しい、大企業に就職すれば一生安心、男が働き女が家を守るべき……いまどきそんなことを本気で思っている人などいません（いないと願いたい）。

もちろん現実には、様々な不自由のなかで生きざるを得ない人々はたくさんいます。また生活の様々なシーンを切り取れば、私たちがあらゆる状況において完全に自由だともいえません。ただ、世の中全体を大きく見れば、古い価値観や仕組みに必ずしも囚われずに、以前よりも、自分の価値観に基づいて、より自由に生きられるようになっているとはいえるでしょう。

しかしながら、自分の価値観で生きられることは、生きる上でのあらゆる選択を、自分の独力で、ゼロベースで判断し続けなければならないことをも、ときに意味します。

どのように生きてもよくなると、どのように生きればいいのかを誰も教えてくれません。「生き方」というと大げさですが、たとえば休日にどこに遊びに行くのかということも、いまの世の中には多彩な選択肢が用意されています。私たちはそのどれを選んでもよいのですが、どれを選んでも、それが「正解」であると客観的に判断するための絶対的な評価軸は、価値観の多様化とともに消滅しました。あるのは曖昧で相対的で一時的な評価軸だけです。価値観が多様化しているということは、価値を判断するための「ものさし」が機能しなくなったことを意味します。

「『正解』は自分の中にある。自分がしたいと思うことをすればよいのだ」という向きもあるでしょう。しかし、では我々は自分が一体なにを欲しているのか、自分が何者で何をしたい人間なのかを、自分自身で理解できているのでしょうか。(筆者も含めて)少なくない数の人は、少なくない数のシチュエーションにおいて、それをよく理解できてはいないのではないかと思います。

価値観が多様化した世の中はある意味、自由すぎるのです。だから自由を「魅力的なもの」と自明視することは、いまの生活感覚では、あまり説得力がないのではないかと思います。いま考えるべき問題は、「自由すぎる世の中にどう折り合いをつけるか」ということではないでしょうか。

さらに、より根源的な矛盾として、ある人が自由になることは、別のある人の自由を束縛するということも挙げられます。哲学者のアイザイア・バーリンは、自由をめぐって根本的に避けられない問題として、この、ある人と別の人との自由の競合の問題に触れています。

あるひとの自由を確保するために、時としては他のひとの自由が奪われねばならぬということは、やはり真理である（バーリン、二〇一〇（Berlin, 1969）、三一〇頁）

今日の世の中において、人々が、さまざまな意味で、より「自由」に生きられるようになったということは、逆説的には、それだけ多くの、何らかの、だれかの「自由」が奪われているということをも、ときに意味します。やはり、「自由」であることには魅力的で絶対的な価値があると、留保なしにいうことは難しいはずです。

＊＊＊

本編で詳しく説明しますが、自由は大きく二種類に分けられると考えられています。既存の古い価値観や人間関係などの束縛から解放される種類の自由は「消極的自由」と呼ばれています。反対に、既存の価値観や組織の仕組みを自分が好きなように組み替えて、他者への束縛を自ら作るような種類の自由を「積極的自由」といいます。より単純にいうと、システムから逃れられる自由と、システムを作れる自由です。論者によって考え方は異なりますが、もっぱら、積極的自由よりも消極的自由の方が得られやすいけれども、個人にとっての真の自由は積極的自由であると考えられています。

もちろん、だからといって消極的自由に価値がないわけではありません。ただ、消極的自由だけが得られたとしても、自分が他者に関与してシステムを作れなければ、結局、束縛から解放された自分は一体何をしたらよいのか分からない、つまり自由すぎる状態に陥ってしまいかねません。そうした人々は過度な消費行動に走って「お金で購入したもの」によって自分を表現せざるを得なくなったり、あるいは別の権威的存在による束縛を自ら求め、「自由すぎる」自分の選択行為を、権威に肩代わりしてもらって自分の責任を軽減しようとするともいわれています。一方で、積極的自由を得るためには、その前段階として消極的自由が得られていることが必要だとも考えられています。

いずれにせよ、現代人（近代人とも言われますが）は、消極的自由は得られても積極的自由はなかなか得られないという、二つの自由のギャップに悩むことになるのです。「自由すぎる世の中にどう折り合いをつけるか」は、単純にいえば、積極的自由を得るにはどうすればよいのか、どのような積極的自由がどのようにして得られうるのかという問題に集約できます。

ではそこにどうやって答えを出すか。冒頭で書いたように、一般的には、自由の抽象的で概念的な考察によって答えを出そうとします。たしかに、自由は概念なので、抽象的で概念的な議論は有効ですし、必要です。しかし本書は別のアプローチをとります。すなわち、現実の「地域」における自由と束縛を把握するアプローチです。

本書の大前提は、「人間はみな、必ずどこかの『地域』の中で生活し、その地域の『地理的条件』の影響下に置かれている」という事実です。

地球上では、人々が地域から離れて生活することはありえません。そして人々の行為は、その地域がどのような地域かということから、何らかの影響を受けます。特に、どのような自然条件で、どのような位置にあり、それらのもとで人口や経済はどうなっているかといった、地域の「地理的条件」からの影響は無視できません。

人々がどのように自由に生きているのか、生きられるのかは、その人々が存在する地域の地理的条件の影響下にあります。だから地域で生きる人々が現実にいかに自由なのかは、抽象的で概念的な自由論だけでは説明できないはずです。本書が依拠するのは、抽象的概念としての自由ではなく、「地域」という、それぞれ固有の特徴を持った舞台の上に展開する、人々の行為です。

一方でこの視点は、自由というものが本来的に、ある種の現実的な限界をそなえているという立場に立っていることを意味します。つまり、人々は地域の地理的条件から完全には自由になれないということです。地域は、人々にとって自由の可能性を広げると同時に、束縛する存在でもあります。だから自由の可能性と限界を理解するために、人々と地域との関係に着目する視点が必要です。本書は自由というテーマをこのように、地域的・空間的に考える視点に立脚しています。

こうした、現代社会の自由と束縛の関係や、地域をめぐる自由の可能性と限界が象徴的に表れるシチュエーションとして、インターネットという電子的テクノロジーの利用シーンを挙げることができます。インターネットの出現と社会一般での利用の普及・拡大は、特に個人の自由を拡大し、従来あまり力を持たなかった人々の「できること」の可能性を大きく広げると期待されてきました。

電子的テクノロジー（以下、単に「テクノロジー」と適宜略します）の発達と普及によって我々がより便利になってきたこと自体は疑いようがありません。しかしながら、そこには個人差や地域差があるはずです。だからこそ、自由を理解する視点として、インターネットという電子的テクノロジーの利用シーンに着目することに意義があるのです。

ただ、自由と束縛の関係において重要な点として、電子的テクノロジーの利用をめぐって、個人の可能性の拡大と表裏一体にして、人々の活動やコミュニケーションの場が、少数のネット企業が提供する領域に限定されるようになり、人々の生活はそれらに依存せずにはいられなくなりつつあります。

例えばＧＡＦＡ（グーグル、アマゾン、フェイスブック、アップル）の世界的な台頭とそれに対する危機感や対立が広がっていることは、電子的テクノロジーの発達による「自由の拡大」が、逆説的に、グローバルなレベルで人々の活動を支配し束縛する可能性を端的に示しています（二〇一〇年代には、欧州では多国籍ネット企業に対する個人情報保護を名目とした対抗が、中国では米国政府との経済的・政治的対立が顕著に見られました）。また、グローバルなレベルだけでなく、日本国内のネット企業のサービスも発達する中で、国内レベルでの電子的テクノロジーへの依存も進んでいます。

こうした状況を、ネット企業による新たな帝国主義の拡大だと批判する者も少なからず見られます。あるいは電子的テクノロジーの発達にともなう、新たな監視社会化であるという議論もあります。

しかしながら、いまや我々の生活はこうした電子的テクノロジーの存在抜きには成立しません。またそれが「悪」であるとしても、それと同時に我々は、こうしたテクノロジーを利用することで、自らの何らかの自由をそれなりに拡大していることもまた事実です。ですので筆者としては、あとで詳しく述べるように、テクノロジーの発達による監視社会化それ自体が絶対的な「悪」でしかないとは、必ずしも考えていません。

ただし、この状況は「私たちは自分を束縛するシステムを利用することで、自分の自由を拡大している」という、奇妙な構図でもあります。筆者が問題と考えるのは、こうした、一方で束縛を、もう一方で自由をもたらすテクノロジーのシステムが、束縛される側の一般個人には改変が事実上不可能になりうることです。

このような変化は、近代化にともなう人々のコミュニケーションの仕方の変化にともなうとも考えられています。順を追ってかんたんに説明すると、テクノロジーの発達以前は、人々は実際に会って（対面接触をして）身振り手振りや表情、声色などを交えた身体的なコミュニケーションによって社会を構築してきました。それがテクノロジーの発達のなかで、人々は実際に会わずとも、電子的テクノロジーを用いた遠隔でのコミュニケーションによって、社会を発展させてきました。つまり社会が、「身体の介在」から「電子的手段による介在」によって編成されるようになりました。

この現象を地域的・空間的にいうと、身体の介在は、人々がある特定の地域に物理的に集まっているから成立する現象です。そこでは、人と人との関係は限定的で周密的、つまり相対的に少ない人々との間で濃密な関係が作られています。地域の中では、そこでのローカルな信頼関係に依拠した小さな社会が作られます。そこでは人間関係等からのローカルな束縛は強くなりますが、しかしそうであるがゆえに、その相対的に狭い社会の構成員は、その社会を改変することも比較的容易でした。すなわち、ローカルな空間や地域では、濃密な人間関係のなかで消極的自由は少ないかもしれませんが、積極的自由は得られやすいはずでした。

しかし電子的手段による介在に依拠した社会は、人間どうしや組織が様々なシチュエーションにおいて、グローバルなレベルを含む、より広域な空間で関係しあって成立しています。それゆえ、人々はどこかの地域のローカルな人間関係だけに頼らずとも生きていくことができ、既存の社会関係に縛られない「消極的自由」が得られます。しかしながら、広域な空間におけるシステムを作っているのは誰で、どこの地域や空間にいて、どのように人々や組織の関係を編成しているのかを知ることは困難になります。すなわちシステムの改変が事実上不可能となるため、その意味で積極的自由は得られなくなるのです。

検索サイトやSNSなど、ネット企業から優れた電子的テクノロジーが提供されることによって、我々は、既存の組織の人間関係などに頼らず、テクノロジーを利用してより自由に様々なことができるようになります。しかし同時に、自分にどのようなテクノロジーが提供され、自分がそれをどのように使うかには、我々が決めたり改変したりする余地がほとんどありません。それは我々が改変しようとする相手が、互いの人柄を知り合った人間ではなく、グローバル企業や、人工知能（ＡＩ）だからです。つまり消極的自由は拡大しても、テクノロジーが提供するシステムを改変できる積極的自由は得られないし、むしろ縮小しているかもしれません。

こうした変化は、地域的・空間的にいうと、電子的テクノロジーの発達によって、我々が活動したりコミュニケーションをしたりする空間が、特定の狭いローカルな地域から、不特定のより広い空間へと移行しつつあるのだと理解できます。それは積極的自由が、ローカルな地域では手の届く存在だったのが、手の届かない、不特定のより広い空間へ転移していくことを意味します。だから人々は時代の流れのなかで、電子的テクノロジーによって消極的自由を得ながらも、かえって積極的自由はより得にくくなっているという面があるのです。先に述べた二つの自由のギャップに悩まされるという問題は、電子的テクノロジーの利用の視点に立つと、積極的自由が手の届かない空間へと逃れていくという、空間的な問題だといえます。

時代の流れにともなって、我々のコミュニケーションの場は、次第に電子的テクノロジーによって介在される不特定の広域な空間へと遷移していきます。すると、ローカルな地域に固有の束縛は自動的に解体され、人々や組織はローカルな消極的自由を自動的に得ていき、同時に、より広域な空間へと、積極的自由の可能性が逃れていきます。時とともにテクノロジーが発達するならば、消極的自由と積極的自由が空間的に乖離していきかねないことが、大きな問題となります。

ただし重要な点として、本書では、電子的テクノロジーが発達しても人々の活動のすべてが、電子的テクノロジーによって介在される広域な空間に移行してしまうわけではないと考えます。起きているのは、ローカルな空間における活動が、あくまでも部分的かつ漸進的に、広域な空間へと遷移していくという現象だと思われます。なので人々は、テクノロジーの発達と利用の中で、ローカルな空間に存在するあらゆる束縛からの消極的自由が得られるわけではなく、また、あらゆる種類の積極的自由の可能性が、広域な空間へ遷移して、そのすべてに人々の手が届かなくなるわけではないはずです。だからテクノロジーをめぐって自由と束縛が再編成されるなかで、どのような種類の自由と束縛が、ローカルな空間と広域な空間のどこに、どう存在するようになったのかを理解する必要があります。この空間的な検討が、電子的テクノロジーをめぐる自由と束縛の関係を理解する鍵になるのではないかと筆者は考えます。

＊＊＊

いまや「自由」は、テクノロジーの利用と結びついています。テクノロジーの利用拡大をめぐり、ローカルな空間でも広域な空間でも、自由と束縛がそれぞれ再編され続けており、テクノロジーを利用する人々がそれらの状況を完全に把握することも困難になっています。

私たちにとって電子的テクノロジーとは何なのでしょうか。自由を拡大するものなのでしょうか。あるいは束縛を強化するものなのでしょうか。

かつて思想家のイヴァン・イリイチは、電子的テクノロジーのような、人間がそれを使って自由になるはずの「道具」が、いつのまにか逆に人間を束縛し自由を奪うようになっているという「深部構造」が今日の産業社会にはあると、警鐘を鳴らしました。

機械は人間を奴隷化するのである。独裁するプロレタリアートも、レジャーを楽しむ大衆も、どちらもたえず膨張する産業主義的な道具の支配からのがれることはできない。私たちが道具の今日の深部構造を逆倒することを学ばないかぎり、すなわち高度で非依存的な効率をもって働く権利を保証するような、そうすることで同時に、奴隷にも主人にもならずにすむようにし、各人の自由の範囲を拡大するような、そういう道具を人々に与えないかぎり，危機は解決不可能なのだ（イリイチ、二〇一五（Illich, 1973)、三七～三八頁）

道具は社会関係にとって本質的である。個人は自分が積極的に使いこなしているか、あるいは受動的にそれに使われているかする道具を用いることで、行動している自分を社会と関係づける。彼が道具の主人となっている程度に応じて、彼は世界を自分で意味づけることができるし、また彼が自分の道具によって支配されている度合いに応じて、道具の形態が彼の自己イメージを決定するのである（イリイチ、二〇一五（Illich, 1973)、五九頁）

イリイチが指摘したのは、「道具」の利用がもたらす便利さの追求が、逆説的に、道具を使用する人間のある種の自由を奪うという逆転現象です。電子的テクノロジーも同様に、それが今後いかに発達しようと、そのテクノロジーによって「できるようになること」だけを追い求めていく限り、逆転現象をもたらす構造からは逃れられないのかもしれません。必要なのは、「テクノロジーが我々をどれだけ自由にするのか」ではなく、「我々の自由に関して、テクノロジーはどういう意味をもつのか」の、様々な観点からの解釈であると考えます。

近年でも同様の観点から、美術家のジェームズ・ブライドルは、今日のテクノロジーの利用拡大をめぐる混沌は、単なる技術的発展や、技術に依拠した「計算的な思考」の追求では、解決も理解もできないと主張します。

私たちはよく新しいテクノロジーを必死に理解し記述しようとするが（中略）、必要なのは新しいテクノロジーではなく、新しいメタファーだ（中略）。人々が、政治が、文化やテクノロジーがすっかり絡みあっている世界のリアリティを認識し、これに取り組むための速記法だ（ブライドル、二〇一八（Bridle, 2018）、八頁）

私たちはすべてのことを理解してはいないし、理解できないが、考えることはできる。十分な理解を主張したり要求することなく考える能力は、新たなる暗黒時代を生き抜く鍵である。なぜなら（中略）、理解することはたいてい不可能だからだ（中略）。テクノロジーはこうした考え方のガイドや協力者であるし、そうなりうる。コンピュータはここでは答えを出す側ではなく、質問をするためのツールである（同、九頁）

彼の表現は抽象的で詩的ですが、彼がいうのは、今日の社会において重要なのは、テクノロジーの正しい発達というよりも、テクノロジーの利用拡大の「意味」を、理解は不完全であろうとも考え続けようとする意識や営為であり、その手助けとなる、社会の「リアリティ」の認識や、認識のための「メタファー」であるということです。つまり、テクノロジーの利用が、私たちには制御不可能な形で、なかば不可視的に拡大しつづけることを前提とした、世の中の「リアリティ」、つまり現実の把握方法が必要だというのです。

本書でこれから提示しようとするのも、「この社会に必要なテクノロジーとは何か？」であるとか、「自由になるために必要なテクノロジーの使い方」ではありません。テクノロジーの利用が際限なく拡大していく状況を理解するための地理学的＝地域的・空間的な、一つの視野です。

＊　＊　＊

本編では、電子的テクノロジーをめぐる「自由の地域差」の問題を、インターネット産業や観光・レジャー産業に関するケーススタディから分析します。それは、これらがインターネットの利用が特に進んでいる産業だからです。

前者は当然ですが、観光・レジャー産業はネット利用が初期から進むと予想されていた分野です。商品に物理的な形がある産業とは異なり、観光・レジャーという商品は「体験そのもの」なので事前体験ができません。それゆえ消費者は事前に観光・レジャーの対象、つまり商品の情報を何らかのメディアを通して獲得し、そのイメージを脳内に構築してから実際の体験（消費）に臨むことになります。私たちが観光・レジャーを楽しむのは、そこにイメージとしての記号的な価値を読みとるからであり、それはメディアを通して得られる情報の集合体から構築されます。だから観光・レジャー産業は本質的にある種の情報産業でもあり、それゆえに情報通信技術（ＩＣＴ）であるインターネットとの親和性が高いのです。

またこれらの産業では、インターネット産業では情報技術者（ＩＴエンジニア、プログラマーなど）が、観光・レジャーではインフルエンサー（ＳＮＳ上で大きな影響力を持つ一般人）といった、インターネットをうまく利用して新しい種類の自由を得て活躍している人々がいることも注目されます。彼ら彼女らの先鋭的な行為が、いかに地域の束縛を解消できたのか、できないのか、積極的自由は得られているのかといった点に注目することで、地域をめぐる自由の可能性と限界を、インターネットという電子的テクノロジーの利用という切り口から鮮明に読み取ることができるはずです。

＊＊＊

本書の元になっているのは、地理学者である筆者が、かつて地理学の学術雑誌で公表したいくつかの研究論文です。それらは本来、地理学者を想定読者としたものであり、しかもそれぞれ、若者のSNS利用の地域差の研究、ネット企業の立地要因の研究、温泉観光地の研究という、本来はまったく次元の異なる別々の研究です。また、もともと「自由」を論じた研究ではありません。本書はそれらを「自由」という一つの視点で統合したものです。

異なる問題意識、異なる次元の議論を統合しているため、本書の論理の緻密さは必ずしも完璧ではなかろうと思います。しかし本書では、緻密な議論は学術論文に任せ、個々の論理の緻密さよりも、それを超えたところに見えてくる、次元の異なる地域や現象に共通する自由をめぐる問題を、よりシンプルな形で、地理学を専門としない方々に提示することを重視することにしました。そしてそうした方々に、自由というテーマを通して、地理学の考え方に触れてもらいたいというのも、筆者のささやかな願いです。

なので本書は、ある面では、自由を地理学的に論じた一般書であり、ある面では、自由を入り口とした地理学の入門書であり、別の面では、筆者の地理学的諸研究を自由という枠組みでまとめ直した学術書でもあるといえます。本書はそのいずれかの側面に特化し統一させず、一般書としても入門書としても学術書としても、ある意味「中途半端」にしています。

それは本書が、自由を地理学的に定義するのではなく、地理学において自由を論じる可能性を模索するものだからです。入門書としては、自由や地理学の多様な可能性を考える余白を残したいと考えたからです。したがって本書は様々な読み方ができると思われます。読者が本書に「自由」に触れて、地理学や、あるいは自由の問題を自由に考える一助になれば幸いです。

自由の地域差——ネット社会の自由と束縛の地理学——

＊

目次

第二部 「自由の模索」の地域差
——インフルエンサーと情報技術者の試み——

第一部　「自由の地域差」とは何か？

第一章　自由には地域差がある

1　この世は地域差でできている

さまざまな地域差

この世界は多様です。

人がたくさん集まっているところもあれば、まばらなところもあります。若者が多いところもあれば、高齢者が多いところもあります。自然の豊かなところもあれば、高層ビル街のようなところもあります。農業がさかんなところもあれば、工場が集まるところもあり、カフェが集まるところもあります。

あらゆる事柄には、地域差があります。

それはこの世に、一つとしておなじ地域がないからです。渋谷と新宿、東京と埼玉、関東と関西、日本と中国、アジアとヨーロッパ……。この世には、さまざまな種類、さまざまなスケールの地域がありますが、そのどれもが異なる性格をもっています。この世は多様な地域の集合体です。この世は地域差でできています。

人間の生活が豊かなのは、この世に地域差があるからです。たとえば、私たちが日々、いろいろな食べ物を食べられるのは、地域によって栽培に適した農作物が異なるから、つまり農業の地域差があるからです。旅行が楽しいのは、日常生活を送っている地域と異なる歴史や文化や自然環境を持つ地域に行くからであり、つまり、歴史や自然環境の地域差があるからです。東京のような大都市では、さまざまな考えを持った人々が集まり協力することで、イノベーティブな経済活動が生まれていますが、それも、人々の思考や価値観に影響を与える文化に地域差があり、異なる文化のもとで育った人々が大都市に集まることで、イノベーションが起きるのだと説明できます。イギリスではロックミュージックなどの大衆音楽が、フランスやイタリアではファッションが、日本ではマンガやアニメが、アメリカでは映画が、盛んに作られ、世界的な人気を集めています。それは見方を変えれば、私たちが日々さまざまな大衆文化を楽しめているのは、そこに地域差があるからだといえます。

このように地域差は、人々がその地域で生活し、活動し、努力してきたことの結晶であり、人々の生活の可能性を広げるものです。

しかし同時に、地域差は人々の生活の可能性を縛る存在でもあります。たとえば日本は山が多いため急流によってきれいな水が豊富に得られますが、そのため日本の可住地面積比率は三二・九%（二〇一七年）にすぎず、大規模な住宅や農地の開発には必ずしも向きません。都道府県でいえば、長野県は日本で最も農業が盛んな地域の一つですが、内陸地域なので、当然、漁業の盛んな地域になれる可能性は、かなりの程度縛られています。東京都は企業数も労働者数も突出して多く、特にサービス業の経済活動を行うには適する地域ですが、その反面、満員電車など通勤が困難であり、また住宅費も高くなりやすく、合計特殊出生率も全国で特に低いなど、平穏に生活できる可能性というのは縛られています。

つまり、「人々がどのように生きられるか」の可能性には地域差があるのです。いかに人々が自由に生きられるのかには、そもそも地域差があるのです。この世には「自由の地域差」があるのです。本書のテーマは、こうした「自由の地域差」がどのようなものかを考え、そこに何らかの答えを導き出すことです。

地理学——地域差の学問——

地域差の解明を最も得意とする学問が、地理学です。そして地理学の中でも人間の諸活動、つまり人文現象に注目するのが、人文地理学です。

「人文地理学とは何か」を学術的に厳密に定義することは少々難しい行為のようです。人文地理学会による『人文地理学辞典』は、「人文地理学とは何かの定義は、地理学そのものの定義と不可分である（二頁）」と慎重な姿勢に立ち、その積極的な定義は示していません。そのことを承知した上で、あえてごく単純に説明すると、人文地理学は、人間の諸活動が、それが行われる地域の地理的環境、つまり自然条件や地理的位置（どこにあるか）とどのように関係しながら成立するのかを明らかにする学問です。

いうまでもなく、地域によってその自然条件や地理的位置には違いがあります。日本と中国とアメリカ、東京と京都と北海道とでは、自然条件も地理的位置も異なります。そしてそれらの違いには、実質的に無限の広がりがあります。日本と韓国、東京と神奈川は比較的よく似た地域といえますが、無視できないほどの差異も存在します。あらゆる地域の間に、あらゆる意味での地理的環境の地域差が存在します。

それゆえ、人間活動と地理的環境との関係を理解することによって、現実に存在する諸地域において、そこがどのような地理的環境で、その上でいかなる人間活動が、なぜ、どのように成立しているのかを明らかにしていくことができます。より単純化していえば、人文地理学は「どのような地域で、どのような人間活動が、なぜ生じているか、そこにいかなる地域差が、なぜ生じるのか」を分析していくのです。

では人間活動の地域差はどのように生じると考えればよいのでしょうか。人間活動に地域差が生じるのは、根本的には地理的環境に地域差があるからです。するとその地域差は、人間活動の地域差をどのように生み出すのでしょうか。

この問題に取り組み、一つの答えを提示したのが、一八四五年にフランスで生まれた地理学者、ポール・ヴィダル・ドゥ・ラ・ブラーシュです。名がポールで、ヴィダル以下が姓です。

彼が提示した、地理的環境がいかに人間活動に影響を与えるのかという問題への答えの出し方は、現在ではそれそのものが人文地理学の基本的な考え方になっています。その意味で彼は、人文地理学自体を学問として成立させた張本人とも言われています。

ここでは、自由の地域差を考える方法の手がかりを得るために、まず、彼の理論の一端を紹介したいと思います。

2　地域差はなぜ生まれるのか？

ヴィダル・ドゥ・ラ・ブラーシュの人文地理学

現代社会を生きる我々にとって、「都市」は、住む場所としても、働く場所としても、遊ぶ場所としても、重要な地域です。

では都市は、どのような場所に生まれるのでしょうか。都市は様々な場所に存在しますが、どのような法則のもとで存在しているのでしょうか。いろいろな答えがありうると思いますが、ヴィダル・ドゥ・ラ・ブラーシュはこの問いに、自然環境の影響という視点から一つの明快な答えを我々に提示しています。

過去を振り返って都市の発生を研究するとき、胚珠を発芽させたもの、それの生育を保証してくれたものは、一般にはある障害物がそこに現れていることであるのが認められる。山岳地からの出口、河川の渡河地点、砂漠の関門、海岸との接触点のように、停止して、新たな交通手段を考慮せねばならぬような所ならどこでも、都市形成のチャンスがある（ブラーシュ、一九九一（Vidal de la Blache, 1922)、二四五頁)

彼いわく、都市とは、自然環境上の障害物が存在する地域に発生するのです。たしかに「新たな交通手段を考慮せねばならぬような所」では、人間はその障害物を超えるために一旦そこに集まり、知恵と富とを出し合い、その結果として都市が発生するという見方はおそらく正しいでしょう。

彼が示したように、ある地域の人々がいかなる活動をどの程度行えるのか、その結果として地域に何が生まれるのか、つまり人々が自由な活動をどのように、どこまで行えるのかには、地理的環境の影響の下で、地域差が生じるのだといえます。

ただし、人間の活動は必ずしも、その地域の地理的環境によってすべてが決定づけられるわけではありません。人間と地理的環境との関係を理解することは地理学の基本的なテーマであり、彼以前の古典的な地理学でも重要な問題でした。ただしそこでは、人間は動物や植物と同様の存在であり、人間は地理的環境から影響を受けるだけの存在だとおおむね位置づけられてきました。しかし彼は次のように、人間がもつ、地理的環境への対抗力を高く評価しました。そのことが彼の特色の一つとされています。

彼は、多くの人間が生活し文明を発達させているのはどのような自然環境の地域であるのかを考察し、次のように指摘しました。

空漠たる大洋はエクメーネ（地球上で人類が永続的に居住できる地域、生活空間）を分離してたがいに久しく相知らせることがなかった。大陸の伸び広がっている上にあちこちに散在していた諸集団は、彼らのあいだを隔てる自然的障害物、山塊、森林、沼沢、水の涸れた地域、等々に妨げられていて、ようやくこれを超克できたのは永い年代を経て後のことであった。文明とは要するにこれらの障害物にたいする闘争のことである。この闘争に勝利を納めた諸民族は、さまざまな環境において獲得した集団の体験の産物をまとめて手に入れることができた（ブラーシュ、一九九〇（Vidal de la Blache, 1922）、五六頁）

人類の分布状況はおのおのの国土の価値をもってしては説明され得ないという結論に達する。気候と土壌とに精通した者の観点で、人類居住の程度をそこから演繹しようと試みる者があれば、彼は幾多の誤算に陥ることになるであろう（中略）。人類の現実の分布は、つねに動いている複合的な諸原因から派生した一時的な事実である（同、七一頁）

ここでの主張は、次のようにまとめられます。すなわち、①確かに地理的環境は人間の諸活動の自由を束縛することができる。②しかしながら、ある地域における人間の活動がどのようなもので、なぜ生じているのかは、環境による束縛だけでは説明できない。③むしろ人間による、環境という「障害物に対する闘争」が存在し、それこそが、植物にも動物にも生み出せない、人間だけが生み出せる「文明」なのだということです。ここで人間は、環境に対して受動的なだけでなく能動的に働きかける存在でもあり、かといって環境のすべてを自由に改変できるわけでもないという、環境と複雑な関係にある存在として位置づけられています。

人間は(中略)、環境をなしているものとの関係においては、能動的であると同時に受動的でもあって、どの点まで能動的であり、あるいは受動的であるかを決定することはたいていの場合容易ではない(同、二〇二頁)

ヴィダル・ドゥ・ラ・ブラーシュの特色の一つは、人間は地理的環境に完全に従属的なのでもなく、かといって、それを完全に克服可能な存在でもないのだと指摘した点にあります。そして完全に克服可能ではないにせよ、少しづつ地理的環境を克服していく人間の行為を、ブラーシュは分析の対象とすべきというのです。

そして彼は、環境の営力に対する人間の「反作用」、つまり克服する営為は、その頭脳によるものだと主張しています。

人類が周囲の環境の諸影響に浸潤されている点では諸動物と変りのないことは明らかである（中略）。環境の諸々の要求にたいするその反作用において（中略）、動物たちは彼らの特徴である移動性を頼みにしようとした、人類が頼むところもまた、その特徴をなすもの、すなわちその頭脳である（同、二〇九頁）

与えられた空間に適応してゆく努力をそれが営まれているままに観てゆくことは、われわれを措いて他の何人の任務でもない（同、二〇三頁）

人間は頭脳によって地理的環境を改変し適応できるのであり、その行為を理解することこそ「われわれ」すなわち人文地理学者の任務だと、彼は宣言しました。単純にいえば、人間が、それぞれの地域の地理的環境があるなかで、どのように、どの程度の活動ができて、その結果としてどのような地域の環境が作り出されたのかを理解するのが人文地理学なのだというのが、ヴィダル・ドゥ・ラ・ブラーシュの示した人文地理学の原理です。

人文地理学というものがこの名称に値するのは、それが人類によって変更された土地の相貌を研究するものだからであり、それはまさにその点において「地理学」なのである（ブラーシュ、一九九一（Vidal de la Blache, 1922）、二六四頁）

3　地域差を考える方法

つづく問題として、第一に、人間と環境は直接に影響を与えあっているのでしょうか。それとも両者の間には何か別の要素が介在しているのでしょうか。また、一口に「地理的環境」と言っても、その中身は多様であり、様々な「地理的環境」があるはずです。ならば第二の点として、地理的環境のなかでもどのような環境が、どのように人間と相互に影響を与えあっているのでしょうか。

このふたつの問題は、地域差を考える際に人間と環境とのどのような相互関係に、どう着目すべきなのかを我々に示します。

環境と人間のあいだ

第一の点について、彼は人間と環境の間には媒介があるという立場をとっています。つぎの一文は、ヴィダル・ドゥ・ラ・ブラーシュの理論を象徴する言葉としてしばしば引用されます。

地理的諸原因は社会的諸事象を媒介としてでなければ人間に働きかけないということができる（ブラーシュ、一九九〇（Vidal de la Blache, 1922）、一九四頁）

地理的諸原因、つまり環境を構成する諸要素は人間に直接影響を与えないのであり、必ず「社会的諸事象」を媒介するというのです。「社会的諸事象」というのは広い意味の言葉ですが、彼の弟子であるドゥ・

マルトンヌの指導を受け、ヴィダル・ドゥ・ラ・ブラーシュを日本に紹介した地理学者、つまりヴィダル・ドゥ・ラ・ブラーシュの孫弟子である飯塚浩二は、それを具体的に説明しています。

人々はしばしば気候が極端に寒冷である場合とか極端に乾燥的である場合にわれわれ人類の生存が不可能であること、あるいは生活の可能性が極度に限定されているという事実をもって、われわれ人類に対する気候の影響が圧倒的であることの例証としようとする（中略）。上述の極端な例におけるように、人類の生存が不可能であるか至難である場合、実はそれが気候条件そのものの直接的な影響の致すところではなくて、動・植物、なかんずく作物を介しての制約であることが多い（飯塚、一九七五、三二六頁）

われわれと自然環境との結びつきは、われわれの肉体の生理的機構を介してのものであると同時に、むしろさらに重要な事実として、われわれの社会生活における生産活動を介してのものであった（同、三二六頁）

飯塚は「社会的諸事象」として作物を挙げて、例えば「寒いから人間が生存できない」のではなくて、「寒いから、エネルギー補給に必要な作物を栽培することが、現状は不可能なので、人間が生存できない」と考えるべきだというのです。むろん「社会的諸事象」は農業や食料だけの問題だけに限りません。「社会生活における生産活動」が媒介となる事実に特に注意すべきと指摘されています。

例えば飯塚は、日本のようにモンスーン（季節風）の影響下にある人々の「民族性なるもの」が、モンスーンの存在ゆえに「受容的・忍従的」だとする、環境が直接人間活動を規定するという考えがしばしば見られるとした上で、それを批判しています。

モンスーンの風土における住民のいわゆる民族性なるものについていえば、彼らが受容的・忍従的だというのが、果たしてモンスーン的な気候条件の下にあるが故にそうであるのか、それとも彼らは天然の気候、季節のリズムに順応してゆく以外に成功の途のないような農業的な生活様式をとっている限りにおいてそうであるのか——さらに議論を掘り下げてゆけば、こうした農業経済を根幹とする封建的色彩の強い社会であるが故にそうであるのか——大いに再検討の余地があるはずである（同、三二八頁）

ここでは、農業的な生活様式全般や、封建的社会それ自体もまた、人間と環境の媒介物として考えられています。すなわち生活様式という現実の行為のレベルから、社会制度という形而上のレベルまでを含む、広汎な意味での人間社会の有り様そのものが媒介となって、環境の影響を人間に与えるというのです。

こうしたヴィダル・ドゥ・ラ・ブラーシュや飯塚の考え方は、地理的環境はそれそのものが人間に直接影響しないと考え、人間社会に注視する視点です。地域差を考える基本的方法として、地理的環境そのものと、その上位にある人間社会の双方に着目する必要があるのです。

一般性か限定性か？

つづく第二の問題は、地理的環境のなかでもどのような環境が、どのように人間と相互に影響を与えあっていると考えるべきなのか、ということです。

そもそも地域差を明らかにするという行為は、単純化すると次の三段階に分けられます。①地域Aと地域Bを定義する。②地域A、Bの特色とはそれぞれいかなるもので、なぜ生じたのかを理解する。③それぞれの特色を比較し、その差分を導き出すという作業です。

重要なのは②の段階で、地域の特色、つまりその地域で限定的にみられる事柄を発見することです。個々の地域の特色が理解できなければ、それらの差分をとって地域差を明らかにすることは叶わないからです。ヴィダル・ドゥ・ラ・ブラーシュもまた、つまり地域固有の特色とその成立理由を理解することの重要性を、「ローカルな限定性」という言葉を用いて問いかけています。

地理学の存在理由はローカルな限定性を見出すことではないであろうか。それは場所の知識から原因の知識に向かって進む、「どこに」から発足して「なにゆえに」に到着せんとするものである。すなわちここで問題となるのは人口居住の諸々の主要な事実が与えられている場合には、それが土地、地形、気候、水系地理にたいしていったいどのような関係にあり得るかを把握することである（ブラーシュ、一九九一（Vidal de la Blache, 1922）、二七八頁）。

では、「ローカルな限定性」はいかにして生じるのでしょうか。

それに関して、たとえば、東京という都市が世界有数の大都市に成長した原因を地理学的に考えた場合、東京は、山がちな日本のなかで関東平野に位置し、経済活動に適した平坦で広大な土地を容易に得られることや、太平洋に面していて交易しやすいこと、一年を通して気象の変化が穏やかであり比較的過ごしやすいこと、それらの結果として交通が発達していること、日本の政治・経済機能が集中していること、巨大な労働人口を抱えることができたことなど、東京あるいは関東地方の地理的環境に恵まれていることを指摘することができるでしょう。

ただ、ここで挙げた諸環境は、東京や関東地方の内部のローカルな地理的条件に限っています。しかしながら、地理的環境はローカルなものに限りません。より視野を広げれば、そもそも日本がユーラシア大陸と太平洋の間という異なる世界の中間に位置していて、様々な交流が行われやすい位置にあるとか、アジアの諸地域と同様に季節風の影響下にあるため、稲作が発達し人口が増加しやすく豊富な労働力を確保しやすいといったこと、世界全体で経済のグローバル化が進み、東京のような先進国の巨大都市の役割が拡大したことなども指摘できます。つまり東京は東京や関東地方のローカルな地理的環境だけでなく、日本全体、アジア全体、世界全体といった、より広いスケールにおける地理的環境からも影響を受けています。

ある地域の地理的環境は、その地域に限定されたローカルで限定的な環境と、その地域を超えて広域な影響を与える、より一般的な環境とに分けられます。こうした、環境をその空間的な広がり、つまり空間のスケールによって二分し両者を総合的に捉える思考は、ヴィダル・ドゥ・ラ・ブラーシュが強調したポイントのひとつです。

ヴィダルの広い意味の環境とは次の二つの関係に区別される。ローカルな関係と一般的・普遍的関係がそれである（中略）。地域（地方）がローカルな関係だけで成り立っていることは稀である。ローカルな範囲を超えた何等かの一般的・普遍的関係が及んでいる（そうでなければ、地域が孤立し衰退してしまうことをヴィダルは繰り返し強調している）そのことによって、地域は生き生きとした個性を持った存在となる。従ってローカルな地域を考察する場合にもローカルな関係だけでなく、一般的・普遍的な関係からの考察が必要とされる（野澤、一九八八、二八～三〇頁）

また、ヴィダル・ドゥ・ラ・ブラーシュ自身も次のように述べています。

ローカルな諸影響と全般的な諸影響とが交錯し、分析のためには絶えず比較を頼りとしなければならないような諸問題にあっては、観察の分野があまりに狭小であるときは誤謬に陥ることは必定である。別々な諸文明相互間の連絡ということが環境の諸影響の見解を是正するために必ず顧慮さるべきである。我々の研究が遭遇する多様な雑多な場合を想定するにあたっては、かくかくの社会あるいはかくかくの社会群ではなく、人類全体の映像をつねに念頭において考えてゆかねばならない（ブラーシュ、一九九一（Vidal de la Blache, 1922）、二八五頁）

ヴィダル・ドゥ・ラ・ブラーシュの考え方に依拠すれば、「地理的環境」は、その空間スケールによって、ローカルな環境と、一般的・普遍的な環境に二分でき、それぞれの影響を把握する必要があります。また彼が「どのような環境」ということを考えるときに、気候や地形、人口や経済といった個別の要素ではなく、空間スケールの大小に着目するように、「空間的に考える」という視点は地理学の重要な視点です。

さらに、彼が論ずるところの「環境」とは、必ずしも自然環境のことだけを指してはいません。彼は「別々な諸文明相互間の連絡」という、ローカルな地域を超えた人類全体の社会的な交流を念頭に入れています。自然環境だけでなく「諸文明相互間の連絡」や「人類全体の映像」、すなわち人間活動が人間活動に与える営為を総合的に把握する必要があるということです。それらは現代の具体例でいえば、経済のグローバル化や、インターネットやAIなど電子的テクノロジーの利用の拡大などが含まれるでしょう。彼は人文地理学における、分析対象としての人間社会の重要性を強調しているのです。

本節の冒頭で、地域差を明らかにする方法は、各地域の特色を明らかにし、その差分をとることであり、その際、地域の特色をいかに理解するかが問題になると述べました。ここまでの議論をまとめると、地域の特色を明らかにする方法は、地理的環境と人間社会との双方に着目した上で、空間スケールの大小や自然的要素と人文的要素という、相反する諸要素を総合することだといえます。

4　自由の地域差と地理学的思考

ここまで本章では、ヴィダル・ドゥ・ラ・ブラーシュの理論の基礎に依拠して、地域差を考える地理学の基本的な思考方法を整理しました。その内容は次のようにまとめられます。

・地球上のあらゆる地域は、その地理的環境（自然環境や地理的位置）が異なるため、そこで行われる人間活動にも地域差が生じる。ただし地理的環境は直接人間に影響せず、社会的諸事象がそこには介在する。したがって人間活動の地域差は、地理的環境と社会的諸事象の相互関係から理解する必要がある。

・地理的環境と社会的諸事象はともに、ある地域の内部だけに存在するローカルな空間スケールのものと、その地域を超えたより広い地域に共通して観察される、広域な空間スケールのものとに分けられる。ある地域における人間活動はその双方の影響下にある。したがってローカルな影響と広域な影響との相互関係を考慮に入れる必要がある。

・これら地理的環境と社会的諸事象、ローカルな影響と広域な影響とを総合的に視野に入れて、ある地域における特性を把握し、地域間で比較する。その作業によって、ある地域だけに通じる解だけでなく、より一般的で普遍的な解を導き出す。

そしてヴィダル・ドゥ・ラ・ブラーシュの理論をふまえると、自由というテーマを、次のように基本的に整理できます。

①人々がいかに自由に生きられるのかは、その人々が存在する、様々な空間スケールにおける地域の地理的環境から影響を受ける。
②地理的環境には地域差があるため、地域で繰り広げられる自由の営みにも、地域差が生まれる。
③しかし環境によって人々の自由が完全に束縛されるのではない。
④人々は社会的諸事象を媒介として、広い意味での「環境」に様々な形で関与しながら、自らの自由を行使し、その自由を拡大していく。

すると、「自由の地域差」を明らかにする基本的な方法も、ある地域において、人々がどのように自由に生きることができたのか、それはなぜなのかを、右の考え方に基づいて総合的に把握し、比較する作業だといえます。そして単純に、個々の地域の間の差分をとって地域差を明らかにするにとどまらず、この作業によって、いかに自由に生きられるのかという問題に対して、地域的・空間的な視点から、特定の地域の事例にどとまらない一般的な答えを出すことが、自由の地域差を明らかにするという行為です。

＊＊＊

ただし分析を進める前に、「自由の地域差」を問うときの「自由」とは何を意味するのかという問題を整理する必要があります。これは「そもそも自由とは何か？」という哲学的難問に直結する問題です。明快な解を出すことは困難ですが、分析のために一定の整理をつけておきましょう。

第二章　「自由とは何か?」とは何か?

前章では、ヴィダル・ドゥ・ラ・ブラーシュの理論に基づいて地域差を理解する方法を論じました。続いて問題になるのは、その地域差という視点から、「自由」という概念の、どのような側面や性質に注目すべきかということです。そしてこれに整理をつけるには、「自由とは何か?」という難問を避けることはできないでしょう。

そもそも、本章でわずかながら紹介するように、無数の先人たちが様々な自由論を積み重ねており、ひとくちに「自由」といってもその種類は多様です。また、誰にとっての、何に関係する自由なのかも論者によって一様ではありません。またそもそも、「自由とは何か」に明快な答えを出すことは、本章はおろか、本書全体を通しても、到底不可能です。ここでできることは、かなりの程度に限定的な意味での「自由」の議論に絞って、「自由の地域差」を論じる手がかりを便宜的に作ることです。

ここではひとまず、ある地域の人々にとっての「自由」というのは、「ある行為ができる」という状態だと考えます(ここでは、『ある行為をしない』という行為ができる(ようになった)、ということも含みます)。そこで、自由な状態とはどのような価値や意味があるのかを先人たちの自由論を参照しながら整理します。

1 「自由」という概念の整理（1）——二つの自由——

自由の多元性

自由とは何かという問題は大きな関心事であり、様々な分野で、様々な自由論が提示されてきました。

例えばチャールズ・テイラーは、近代世界における自由は古代世界における自由と異なるとして、次のように論評しています。古代世界では（A）既存の社会の枠組みの中での自由に価値があり、（B）その自由は万人が手にできなくて当然であり（例えば奴隷に自由がないことは当然とされる）、（C）こうした自由は自由そのものが何かといった形而上学的な問題とは無関係であると考えられてきたのに対して、近代世界では、（A）全ての社会的枠組みの外で普遍的な自由を論じることに意味を見出し、（B）その自由は全ての人そのものに属するのであって、（C）自由とは何かが形而上学的に考えられる対象とされていると彼は論じます（テイラー、二〇〇六（Taylor, 1984））。

無数の自由論が存在するわけですが、政治哲学者のジョン・グレイが指摘するように、自由の価値自体が複数の源泉を持ち、それによってある自由や、ある自由のある次元や特定の形式が、他の次元や形式、他の自由と競合してしまうという問題がつねにつきまとうことが、近代的な自由を論ずる際のポイントになります。それゆえグレイは自由概念それ自体が本質的に答えの出ない、常に論争の対象となるものであるのかもしれないという疑義も示しています（グレイ、二〇〇六b（Gray, 1984b））。

つまり自由という概念は、それ自体が一定の多元性を持っています。したがって分析を進めるにあたっては、自由の価値の種類について、何らかの自由論に依拠した、基本的な分別を行っておく必要があります。

そして自由の地域差を論じる本書においては、例えば、国家に在るべき民主制が保証する自由といったような、純粋に政治哲学的な意味での自由論ではなく、ある地域に現実に存在しうる、個人や組織の具体的な行為の自由を評価できるような自由を論ずる枠組みが求められます。

「～からの自由」と「～への自由」

ここで必要なのは、個人や組織の行為や、それが依拠している思考や判断に関する自由が、いかなる意味を持つかを把握する自由論です。

こうした自由を心理学と社会学の立場から論じた研究者として、エーリッヒ・フロムを挙げられます。フロムの自由論の特徴は、現代人（あるいは近代人）はすでに個人として十分に成長し、様々な伝統的束縛からかなりの程度自由になっていると考えている点です。つまりフロムは、自由はまだ得られていないのではなく、ある種の自由はすでに得られているという前提にたって、その自由の批判を通して真の自由を模索したのです。

フロムのいう、すでに得られている自由と、そうでない真の自由は、「～からの自由」（消極的自由）と「～への自由」（積極的自由）と表現されています。

（近代化を通して）多くの点で個人は成長し、精神的にも感情的にも発達し、かつてなかったほど文化的所産に参加している。しかし他面「……からの自由」と「……への自由」とのズレもまた拡大した。どのような絆からも自由であるということと、自由な個性を積極的に実現する可能性をもっていないということとのズレの結果、ヨーロッパでは、自由から新しい絆への、あるいはすくなくとも完全な無関心への、恐るべき逃走（筆者注：フロムはナチズムの台頭を論じています）が起こった（フロム、二〇一二（Fromm, 1941）、四六頁）

かれ（筆者注：近代人）の唯一の問題は、自分がなにを欲しているかは知っているが、それを獲得することはできないということであるように思われる（同、二七七頁）

近代化を経て、人々は伝統的な社会関係の部分として組み込まれているのではなく、その絆＝束縛から「個人」として離れて生きることができるようになり、「束縛からの自由」をすでに得ているというのです。しかし束縛されていないことで逆に「個」になってしまった個人は、個であるがゆえに自身の力ひとつで、自らがしたいことを、したいように行うことが常に要求されるようになってしまってもいます。けれども「したいことを、したいように行えるかどうか」は、自分が単に束縛されていないだけでは十分条件にならないのです。

さらに、われわれが「全体」の一部であった時には、自分は「全体」がしようとしていることに従属すれば、自らの存在理由を自分で十分に理解することができたわけですが、その「全体」から「個」として切り離された以上、自らの存在理由を自分の代わりに説明してくれる存在がいなくなってしまいます。

全体から切り離され「個」でしかなくなった人々は、そもそも自分が何をしたらよいのかを知ることすら困難になるのです。それゆえフロムは、「〜からの自由」を享受した個人は必然的に孤立し、孤立したままで何事も成しえない個人は結局、新たな束縛を求めざるを得なくなると指摘しました。

近代人はかれがよしと考えるままに、行為し、考えることをさまたげる外的な束縛から自由になった。かれは、もし自分が欲し、考え、感じることを知ることができたならば、自分の意思にしたがって自由に行為したであろう。しかしかれはそれを知らないのである（同、二八一頁）

自由は不可避的に循環して、必ずや新しい依存に導くということになるだろうか。すべて第一次的な絆から自由であることは、個人を非常に孤独な孤立したものとするから、かれは不可避的に新しい束縛に逃避しなければならなくなるものだろうか。独立と自由は孤独と恐怖と同じことであろうか。あるいは、個人が独立した自我として存在しながら、しかも孤独ではなく、世界や他人や自然と結びあっているような、積極的な自由の状態があるのだろうか（同、二八三頁）

自由とは何かという問題をこのように考えたとき、伝統的束縛からの解放を意味する、消極的な意味での「〜からの自由」だけでは不十分であるという立場が示されています。フロムは、むしろ自らが周囲の社会関係に主体的に関与する積極的な意味での「〜への自由」が必要なのだとフロムは考えました。

近代人にとって自由は二重の意味をもっている（中略）。すなわち、近代人は伝統的権威から解放されて「個人」となったが、しかし同時に、かれは孤独な無力なものになり、自分自身や他人から引き離され（中略）、かれの自我を根底から危うくし、かれを弱め、おびやかし、かれにあたらしい束縛へすすんで服従するようにするということである。それにたいし積極的な自由は、能動的自発的に生きる能力をふくめて、個人の能力の十分な実現と一致する（同、二九六頁）。

人間が積極的に社会過程に参加するときにのみ、人間は現在かれを絶望――孤独と無力感――にかりたてているものを克服することができる（同、三〇二頁）

フロムは、自由であることは、束縛から解放されると同時に、自らが自らの能力を自発的に発揮して周囲に働きかけ改変していくということであり、後者の積極的な意味での自由を真の自由と考えました。消極的自由が「束縛からの解放」であるならば、積極的自由は「新しい束縛の構築」であるといえるでしょう。

「～からの自由」「～への自由」という観点を用いると、自由であることと束縛されているということが、ある意味では表裏一体の関係にあるとわかります。

「液状化」する自由

このような、社会関係から束縛されずにいる自由と、社会関係に自ら積極的に関与する自由とを区別する考え方は、フロムにしか見られないものではありません。とりわけ、束縛されていない自由、つまり「～からの自由」だけを得た状態は、真の意味での自由ではないという見解はしばしば見られます。

社会学者のジグムント・バウマンもまた、社会における既存の秩序が揺らいでいるという、「社会の液状化」という観点から、自由がもたらすある種の「呪い」を論じています。彼の主張を簡単にまとめると、次のようになります（バウマン、二〇一八（Bauman, 2000））。

①かつての近代社会では何らかの権威や規範や制度が個人的自由を否定したり抑圧していたかもしれない

が、人々はその権威と抑圧のもとで市民として結びつき、社会をより良いものにしようという共通の課題を共有し行動してきた。

②しかし個人的自由の解放が進んだ今日の社会では、打倒すべき支配的な権威や規範や制度が明確ではなくなった。個人が個人として解放された結果、個人は自分の人生の問題や悩みやそれに対する選択を、個人のレベルで、つまり自分自身の能力のみに頼って、自分自身のみの責任においてそのつど解決せねばらないという難問が常に突きつけられることになった。

③こうした個人の自由の拡大は、個人が自分のアイデンティティ（自分は何者であるのか、何者でありたいのか、どうしたいのか）を確立できないという逆説的な不安ももたらす。そしてその不安はモノやサービスの過剰消費によって一時的に麻痺させることでしか解消できない。

バウマンの主張は、ある意味でフロムと同様に、個人の内面において拡大した「～からの自由」は、ある種の「選択の自由」を拡大させたが、それだけでは人々は満足できないということです。バウマンは、現代の人々は権威や価値観や規範の「液状化」によって「何を選択したらよいか」の正解がわからなくなったので、「自分のすべきこと」が不明確化しており、不安がつきまとう生き方を続けざるを得なくなったり、それを振り払うために自分が何者かを、自分が買ったものの経済的な価値によって確認しようとすると、指摘しています。

選択の自由という、本来、すばらしいはずのもののなかには、不確実性が汚点のように、残りつづけることになる。くわえて（中略）買い物中毒の人間の満足と失望は、たんに陳列された品物の幅だけでは決まらない、ということも指摘されるべきだろう。すべての選択肢が現実的であるわけではない。どのくらいの数の選択肢が現実的なのかは、選択される商品の数によって決まるのではなく、選ぶ側の能力によって決まるからだ（バウマン、二〇一八（Bauman, 2000）、一一四〜一一五頁）

「選択と購買」中心の生活を特徴づける、アイデンティティの流動性と柔軟性は、自由の再配分の手段にはなっても、解放の媒介にはならない。それゆえ、流動性と柔軟性は祝福でもあり、呪いでもある――魅惑的で、待望される一方、忌避され、恐れられるといったふうに、人々に矛盾した反応をひきおこす（同、一一八頁）

ここで示されるのは、「〜からの自由」による選択肢の拡大は人々を真の意味では自由にせず、自らのアイデンティティを一時的に表現してくれるモノやサービスを消費することによって、「自由のようなもの」を一時的に得る、あるいは得た気持ちになるしかなくなっている構図です。それはいい方を換えれば、フロムの消極的自由と同様に、商品という、どこかの他者が作った枠のなかに「自由になったはずの自分」を自ら進んで束縛しようとする構図でもあります。しかも、どのような枠に「自分を束縛できるのか」は、社会の価値観や規範や制度よりも、個人の能力に帰せられるという、自由の拡大が帯びる能力主義的な性質も彼は指摘しています。

そしてバウマンは、こうした消費の無限回廊から脱する方法として、束縛から解放されてしまった個人同士が協働するほかないと説きます。

われわれを指導し、また、われわれの行動責任を免除してくれるような指導者は、もはや存在しなくなった。個人の集合によってできた社会においては、存在するのは同格の個人だけであり、生活を営むにあたっては、個人同士が知恵をわかち合い行動責任をとりあうしかない（同、四〇頁）

個人を束縛していた規範や制度からの解放である「～からの自由」は、いわば集団の一部としての人間に負わせられた責任を否定したり相対化したりできる自由であったり、あるいはそれによって得られる自由であるといえます（つまり集団の責任の一部を担うことを回避する代わりに、自分の責任を全部自分で担わなければならないのが消極的自由だともいえるでしょう）。しかしバウマンは、そうした責任を、既存の組織の一部としてではなく、個人の集合体として別の形でもう一度負うべきであるというのです。責任を自ら負うことは、消費によって一過的に不安を忘れるのではなく、継続的に他者に主体的に関与するということであり、その意味において積極的自由であるといえるでしょう。

フロムの例で論じたことと同様に、自由とは束縛からの解放だけを意味するのではなく、自ら新たな束縛を再構築できることが「自由」なのだという側面が見られます。そして「～からの自由」だけでなく「～への自由」の確立のためには、何らかの形で「責任」を果たすことが重要になることがわかります。バウマンの示した手がかりで見たように「解放」された個人間の共同と協働――新しい相互束縛――の形成が、そこでのキーワードといえます。

2 「自由」という概念の整理（2）――多元的な自由――

自由を区別すること自体の意味

哲学者のアイザイア・バーリンも自由概念を「消極的自由」と「積極的自由」に二分したことで知られています。彼の特徴は、この二つの自由に対して、様々な異なるレベルで、異なる意味を見出した点にあるとされています。自由概念を二分するだけでなく、それを通して、自由を考える視点自体を多元化してみせたのがバーリンの自由論です。ここではバーリン研究者のグレイの見解も踏まえつつ、自由概念の多元性を整理したいと思います。

バーリンは「自由」という言葉の意味は、消極的なものと積極的なものについて、それぞれ次のような問いに対する答えの中に含まれていると論じました。消極的な意味（消極的自由）としては、

主体――一個人あるいは個人の集団――が、いかなる他人からの干渉もうけずに、自分のしたいことをし、自分のありたいものであることを放任されている、あるいは放任されているべき範囲とはどのようなものであるか（バーリン、二〇一〇（Berlin, 1969）、三〇三頁）

積極的な意味（積極的自由）としては、

あるひとがあれよりもこれをすること、あれよりもこれであること、を決定できる統制ないし干渉

の根拠はなんであるか、またたれであるか（同、三〇四頁）

このように述べています。ここで消極的自由は、単純には、妨害の不在の状態や、その範囲の問題として扱われます。他方で積極的自由については、次のような説明も加えられます。

自由の「積極的な」意味は、「わたくしにはなにをする自由が、あるいはなんである自由があるか」という問いにではなく、「わたくしがだれによって統治されているか」または「わたくしがなんであるべきか、なにをなすべきか、なんであるべきでないか、なにをなすべきでないか、ということをだれがいうことができるのか」という問いに答えようとするときに、明らかになってくるものなのだ（同、三一六〜三一七頁）

バーリンの自由論は、その消極的／積極的の区別そのものは、前者が「妨害の不在」であり、後者は「自己決定」や「自治」の問題として区別されています。ただ、この区別は一見単純に見えますが、その含意は複雑です。グレイは彼の自由論を次のように解説します。

消極的自由と積極的自由の区別は、最も単純な形では、非干渉と自治の区別である。消極的観念においては、ある人間が自由であるのは、他の人びとがそのひとの前に立ちふさがり、かれ自身が望むような仕方で行為することを（中略）妨害しない場合であり（中略）、ここでの不自由の観念は、あるひとの行為を他の人間主体が、妨害や障害によって阻むことである。対象的に、積極的な見解においては（中略）、ある人間が自由であるのは、かれが自らの生に責任を負い、自らの環境の主人であり、そして自らなそうと決めたことをなすことができる時だけである。この後者の見解においては、ある人間は、他の人びとの意図的な干渉によってばかりでなく、かれらの不作為によっても、あるいは行為に必要な資力や能力を持たないことによっても、さらにはかれ自身の内面的葛藤や欲望の虜になることによってさえも、不自由であるとされるかもしれない（グレイ、二〇〇六a（Gray, 1984a）、七頁）

やや仔細な論評になっていますが、基本的には、消極的自由が「～からの自由」、つまり他者からの束縛からの解放であり、積極的自由が「～への自由」つまり自己の能力の自発的な発揮を意味しています。しかし、バーリンの自由論で重要とされるのは、それらの自由のうちいずれかを何らかの理由で優先すべきと主張したことではなく（とはいえ、彼は消極的自由を支持してもいるのですが）、自由の区別それ自体が、潜在的に複数の意味を持っていることを指摘したことにあると評価されています。つまりバーリンは、自由を「何と何に区別できるか」だけでなく、「自由の区別自体がいかなる意味を持つか」を省察しているのです。本書ではその具体的な中身の検討までは行いませんが、グレイ（二〇〇六b（Gray, 1984b））によれば、その区別の意味は次のように整理されます。

①単に行為にとっての重要な妨害の不在として考えられる自由（消極的自由）と、行為する能力ないし力能を要求するものとしての自由（積極的自由）の区別

②自由を、他者との社会関係によって決まるものと把握する見方（消極的自由）と、人間本人の内部要因によって決まるものと把握する見方（積極的自由）との区別

③個人に対して政府や社会が有する権威の限界（消極的自由）と、そのような限界の源泉ないし起源（積極的自由）との区別

これらの自由概念の区別の検証や、積極的／消極的自由のいずれを支持すべきか、いかなる区別の立場に立つべきかの考察は、別の論考に委ねるべき事柄です。またバーリンの自由論には多くの批判も寄せられています。

しかし本書で重要なのは右の①のように、積極的自由と消極的自由の区別が、自由の起源を地理的環境に基づく社会的諸事象による妨害の存在と不存在に求めるか、地理的環境下における行為者本人の内面的な能力や状態に求めるかの違いを意味すると考える視点だといえます。ここまで見てきた自由論の区別では、基本的には、束縛の不在やそこからの解放（消極的自由）のみでは自由として不十分であり、他者に対する自己の能力の発揮に基づく、積極的で自発的な関与による新たな束縛や秩序の再構築の自由（積極的自由）を考えることが、自由の理念として捉えられています。しかしながらバーリンによる「自由の区別そのものの区別」が示すように、積極的自由は、本人の内面的な能力や状態に還元される性質の自由でもあり、それゆえバウマンが見たような、自由の能力主義的な側面が浮き上がるものでもあります。

したがって積極的自由を考える際には、それを可能にする要件の整理も必要です。例えば中村（二〇一九）は法哲学と政治哲学におけるリベラリズムの見地から、「自己決定の自由」が「意味あるもの」であるための前提を次のように論じています。

自分で決めたことを選択・実現できるという意味での「自己決定の自由」にはさまざまなものが含

まれるが、それが意味あるものであることの前提として、(a)する・しないことも含めた「選択の自由」、そして、(b)選択する際に自分の選好に沿った判断・行為をするための「合理性」、これら二つが必要となるであろう（中略）。もし、(a)が欠落している人に対しそんなことを言ってもそれは単なる気休めでしかなく、もし、(b)が欠落している場合にそんなことをいうのであれば悪趣味な放任主義でしかない（中村、二〇一九、二〇三〜二〇四頁）

中村が指摘するように、リベラリズムにおける自由の基本的な定義は「十分な選択肢の中から、自律的に、自己決定する」ということ、つまり十分な選択肢の存在と、他者に操作されておらず自律的である状態と、自己決定能力の存在の三点を備えることであり、これらを備えた状態が、追求されるべき理想としての自由の一面です。十分な選択肢が存在し、それを他者の強制によってではなく、自分の意志で選ぶこと、またそれを選ぶことを客観的にみたときに、一定の妥当性がそこに認められるということが、「意味あるもの」としての自由の成立に必要な前提条件です。

しかしながら現実には、これらの要件が完全に満たされていることは少ないです。我々が日々選んでいるのは限定的な選択肢にすぎませんし、選択肢を選ぶ際にも、たとえ他者に物理的に強制されていなくても、他人の発言やメディアで得た知識に依拠しているなど、多かれ少なかれ、他者からの影響下にあることは否定できないはずです。したがって現実には、我々が求めることのできる自由とは、限定的な自由に過ぎません。できるのは、自由の限定性を少しずつ拡大していく作業になります。単純に、自発的に他者に関与し、みずからの能力を発揮するだけでは、本質的に自由であるとはいい切れませんが、同時に、完全に自由である状態を達成することもまた非現実的です。自由を得るということは、常に部分的で漸進的な変化であるはずです。それゆえ、ある地域の地理的環境の影響下におけるその変化のしかたを観測することは、ある地域における自由を論ずる一つのポイントになるといえるでしょう。

3 「自由の地域差」を何から読み取るか？

ネット社会化という切り口

人々の生き方すべての地域差を本書で分析することは不可能です。「いかに自由に生きられるか」の可能性と限界を端的に表す社会的事象に焦点を絞る必要があります。

本書で着目するのは、インターネットという電子的テクノロジーの利用をめぐるシチュエーションです。インターネットは人類の新しい道具であり、社会の様々な領域で、様々な形で利用が進んできました。こうしたインターネットの出現は、それを産業革命と同等の革新と見る者もいるように（それを過大評価だと見る論者も少なくはなく、筆者も懐疑的ですが）、人類の可能性を大きく拡大した、あるいは拡大するポテンシャルを持っています。従来電子的テクノロジーは、大企業や大学など一部の組織の一部の人々によって、一部の空間でのみ利用されていましたが、いまでは安価なPCやスマートフォンと高速無線通信網などによって、中小企業や一般個人など従来とは比べものにならないほど多様で多数の人々に利用されるようになりました。ネット社会化は広く人々に新しい自由や、自由を拡大するチャンスや力をもたらしていると期待されてきました。

事実、インターネットは人々に対して、新しい産業、新しい働き方、新しい娯楽、新しい余暇の過ごし方、新しい人間関係の構築手段などをもたらしました。インターネット企業をはじめとして、ネットを効率的に利用したビジネスは新しい産業であり、テクノロジーを利用したリモートワークやフリーランスの容易化などは新しい自由な働き方として注目されています。また余暇の過ごし方も変わり、動画サイトは新しい娯楽として成長し、航空券のオンライン予約が当然になったことや、旅行先やレジャー施設、飲食店の情報を容易に取得できるようになったことも挙げられます。また、新しい人間関係の構築手段としては、若者を中心にソーシャルメディアが利用されています。

ただし、テクノロジーがもたらす可能性には限界もあります。まず、技術的に不可能なことが存在します。さらに、技術的に可能であっても、それがすぐに社会を変えるわけではありません。

例えばリモートワークの技術はかなり発達していますが、実際にその技術をつかって働く場所を自由に選択できている人は社会の多数派ではなく、現実には多くの人々は従来のように、誰かに決められた場所に通勤することを余儀なくされています。

テクノロジーの利用拡大によって人々の（何らかの意味での）自由はかなり拡大していますが、限界もあります。だから、人々の自由が、テクノロジーによってすぐに飛躍的に拡大するという、技術決定論的な考え方は避ける必要があります。そしてその限界は、技術的な限界によるものだけでなく、地理学的には、地理的環境とその影響下の社会的状況による束縛がもたらしている限界だといえます。そのことは、電子的テクノロジーをいかなる主体が、どのように、どれくらい利用できているのかが、人々が地域の束縛をめぐってどれだけ自由になるか、なれないのかという、地域における自由の今日的な可能性と限界を、先鋭的な形で示す分析視点になることを意味しています。

ネット社会における自由と「監視」

するともう一つ、整理しておくべきことが出てきます。それは自由の中でも電子的テクノロジーの利用をめぐる自由の性質についてです。

電子的テクノロジーの利用を切り口に自由の地域差を把握しようとするには、本章で見てきた一般的な自由概念の整理に加えて、自由が、電子的テクノロジーの利用の中でどのように得られると考えられているかを理解しておく必要があります。もちろん、電子的テクノロジーによってフロムやバーリンたちの自由概念が全て過去になってしまうわけではありません。ただし自由のある部分の含意や、その解釈には留意が必要です。

テクノロジーは人々の選択肢を増やし、何らかの形で自由を拡大している、してくれると考えられてきました。しかしテクノロジーの利用拡大による選択肢の増大は、かえって人々に「自由な選択」を要求しつづける状況の定常化も意味します。そうした面でテクノロジーの利用拡大は、人々に自由の拡大を期待させると同時に、それがある種の「束縛」の強制と表裏一体であることや、「束縛」の強制が電子的テクノロジーの存在しなかった頃の社会と比べて強固に見えることを、人々に意識させるようになりました。

その「束縛」とは、一般的に「監視」とも呼ばれます。次章で詳しく見るように、ネット社会化はある意味で、監視社会化と表裏一体です。議論の一部を先どりすると、ネット利用が進めば進むほど、個人や組織は、ある空間においてある種の自由を得られるかもしれませんが、同時に、別のある空間において別の自由を束縛されるという側面も持ちます。それゆえテクノロジーの利用拡大をめぐっては、そこに期待される自由の拡大が、本当に得られるのか、あるいは過度な期待に過ぎなかったのであり、実際はテクノロジーの利用によって我々の何らかの自由はかえって束縛されているのではないかという疑問がつきまといます。次章ではこの、テクノロジーの利用拡大をめぐる自由と監視の関係を論じたいと思います。

第三章　ネット社会の自由と監視

1　「監視されているから自由である」？

ネット社会化と監視

私たちは監視されている。だから、自由である。

「監視」と「自由」という言葉の一般的なイメージで考えれば、この一文は不条理でしょう。監視は本来的に悪であり、「私たちの自由」という本来的な善を損なうと考えられているからです。一般的に、テクノロジーの利用拡大にともなって、監視社会化が進んでいると言われてきました。しかし近年、監視は自由と対立するのではなく、むしろ並立する存在だとも考えられつつあります。

監視は、かつてのジョージ・オーウェルの小説「一九八四年」の「ビッグ・ブラザー」や、ミシェル・フーコーが「監獄の誕生」で論じた「パノプティコン」を想起させます。オーウェルやフーコー自身の考え方はともかく、これらの影響を受けた文脈のもとでは、監視は人々の自由を抑圧する権力の象徴として扱われ、一般的にはビッグ・ブラザーやパノプティコンのような監視のあり方が批判されてきました。そしてそこでは、監視カメラや監視塔を通して、何らかの絶対的な権力者から一方的に監視され、自由が制限されざるを得ない人々が擁護されてきました。

しかしながら今日、インターネットのさらなる技術的発展、世界規模のネット企業の台頭、高速無線通信網の拡充、スマートフォンの利用拡大などを背景として、従来とは異質な監視が拡大しています。

例えば、ネット企業はプログラムコードを用いて利用者の行動を監視し、個人データを収集しています。それは個人データが新たな天然資源のようなものとして見做されるなかで、マーケティングのために監視が行われているからです。また市民も、高性能カメラと多様なアプリをインストールしたスマートフォンを携帯し、SNSや口コミサイトを用いて他の一般市民を監視しています。毎日のように発生する「炎上」や、逆に賛意が寄せられる「映え」や「レビューで高評価」といった言葉の存在は、いかに今日の社会が、市民が市民を監視する相互監視社会であるかを示しています。

今日の監視の主役は、政府というよりも、ネット企業や、一般市民です。主な監視のツールは、監視塔や街頭の監視カメラというより、スマートフォンやソーシャルメディアやプログラムコードやAIです。監視は、その主体も客体も、それらの関係も多様化していて、一方的に監視を行う絶対的な権力者は、もはや存在しないとも考えられています。

複雑化した今日の監視状況を理解しようとする視点は、主に二〇〇〇年代以降における電子的テクノロジーの発達を意識しながら、社会学の中で生まれてきました。その中心的な研究者は、前章で見たバウマンと、ディヴィッド・ライアンです。彼らは監視を社会学的に再置する社会理論を構築しようとしました。

本章ではバウマンとライアンを中心とした社会学における監視社会論の基本的な部分を確認します。そしてその有効性と問題点を整理し、その問題点を、いかなる地理学的視点によって乗り越えられるのかを検討します。

監視とパノプティコン

監視を論ずる際に真っ先に想起されるのが、哲学者ジェレミー・ベンサムが構想した理想の監獄、「パノプティコン」です。議論に入る前に、やや迂遠ですがパノプティコンについて把握する必要があります。ここでは大屋（二〇〇七）による簡潔な整理を参照します。

まず円の中心に監視塔、円周上に獄舎が建てられる。獄舎内の個々の牢は互いに壁で仕切られ、他の牢の様子を窺い知ることはできない。牢の内側は格子になっており、監視塔からは牢内のあらゆる部分を見ることができる。一方、監視塔の窓にはブラインドがかけられ、塔の中に人がいるのかどうか、監視者がこちらを見ているのかどうか囚人からは見えないようになっている（中略）。中央の監視塔において、看守は囚人たちのあらゆる行動を監視する。囚人には看守を見ることができないから、監視するものは例えば看守の家族のように別の人間でも構わないし、たまたま牢獄を訪れた近所の市民でも構わないし、あるいは誰もいなくとも問題はない（大屋、二〇一七、一〇五〜一〇六頁）

パノプティコンは、監視者が一方的に被監視者を監視できる装置です。そこでは「見る者」は見つづけ、「見られる者」は見られつづけるという構造が生まれます。パノプティコンでは、この「見る／見られる」の関係が建築を通して構造化され、その構造が、安全かつ効率的な収監を可能にします。

そしてよく知られているように、こうしたパノプティコンの構造に、近代的な権力の姿を読み取ったのが、フーコー（一九七七（Foucault, 1975））でした。パノプティコンにおいて囚人は、たとえ監視者から肉体的な処罰を受けずとも、監視されていることを予期して、あらかじめ自発的に従順に振る舞わざるを得なくなります。それはパノプティコンにおける監視が、囚人に直接暴力的な影響を与えずとも、囚人が自ら従順に生きるように更生させる力を持つことを意味します。

彼はこうした解釈から人々を制御する権力について考察し、その権力は前近代においては肉体的な影響を与える暴力の誇示によって人々を服従させるものだったのが、近代ではパノプティコンが比喩するように、絶え間ない監視によって被監視者を自発的に服従させるものになっており、こうした権力は監獄の他にも、軍隊や工場や学校などの近代的組織に通底されていることを指摘したのでした。

こうした見方に基づくと、近代社会における個人は、監視を通じて、権力によって自由を抑圧された存在だということになります。それゆえ電子的監視についても、監視は一般的に「個人の自由」という近代社会の「善」をおびやかす「悪」として位置づけられ、しばしば批判の対象にされてきました。

2　電子的監視——監視を批判することの難しさ——

ネット社会の電子的監視——ネット企業の監視と相互監視——

私たちがWebサイトを閲覧するとき、Webサイト側もまた、私たちのPCやスマートフォンにアクセスし、私たちのユーザー情報を収集し、閲覧しています。ネット通販サイトに「おすすめ商品」がならぶのは、自分の閲覧履歴と購入履歴が監視されているからであり、ソーシャルメディアには、自身の発信内容や、交友関係の監視に基づき、広告だけでなく「知り合いかも（Who to follow）」という形で、フォローすべきユーザーが提案されます。今日のネット社会において我々は、テクノロジーを介して常に監視されています。この世に新たなオンラインサービスが広まっては、それがもたらす自由の拡大への期待が寄せられてきました。しかしそれにともなって、電子的テクノロジーを介した監視社会化が進んでいるという主張もされ続けてきました。

例えば、法学者のシヴァ・ヴァイディアナサンは、大手検索サイトの運営会社が利用者の行動履歴や個人情報を収集し、マーケティングや消費者プロファイリングのために利用していることを問題視し、ユーザーは、自分では何がどう監視されているのか分からず、プライバシーや個人情報の保護が脅かされていると警鐘を鳴らしています。

グーグルはまず、私たちがサービスを利用するときに情報を収集している。次に、インターネット上のあちこちに散らばった、私たちに関する些細な情報や害を及ぼす情報をコピーし、利用できるようにしている。三つ目に、世界中の公共の場所の映像を積極的に保存している（中略）。私たちが、グーグルによるグローバルな電子プロフィールを管理できるのは、そのシステム（中略）がどのように機能しているかを理解している場合だけなのだ。グーグルはほとんど全世界を網羅する監視システムであるが、あまりに目立たないかたちで運営されているため、気づきにくいのだ（ヴァイディアナサン、二〇一二（Vaidhyanathan, 2011）、一二〇～一二一頁）

また、イーライ・パリサーは、テクノロジー企業によるユーザー情報の収集が、人々を知的孤立に追い込みかねない「フィルターバブル」という状況を生み出していると批判しています。

新しいインターネットの中核をなす基本コードはとてもシンプルだ。フィルターをインターネットにしかけ、あなたが好んでいるらしいもの——あなたが実際にしたことやあなたのような人が好きなこと——を観察し、それをもとに推測する。これがいわゆる予測エンジンで、あなたがどういう人でなにをしようとしているのか、また、次になにを望んでいるのかを常に推測し、推測のまちがいを修正して精度を高めてゆく。このようなエンジンに囲まれると、我々はひとりずつ、自分だけの情報宇宙に包まれることになる。わたしはこれをフィルターバブルと呼ぶが、その登場により、我々がアイデアや情報と遭遇する形は根底から変化した（パリサー、二〇一六（Pariser, 2011）、二三頁）

さらにアンドリュー・G・ファーガソンは、アメリカにおける、警察活動におけるビッグデータ利用の拡大に警鐘を鳴らしています。

未来の警察活動の中心はデータだ。犯罪情報、個人情報、犯罪組織情報、交友情報、位置情報、環境情報、そして増大しつつあるセンサーや監視網（中略）。ビデオカメラが人々の行動を監視する一方で、民間の消費者データブローカー企業は人々の関心事を図に示してその情報を法執行機関に売りつける。電話番号、電子メール、家庭の情報は全て疑わしい関連性がないかどうか調査される。政府機関は健康、教育、犯罪の記録を集めている。刑事は公開されているフェイスブック、ユーチューブ、ツイッターの投稿を監視している（中略）。これこそが法執行機関のビッグデータの世界だ（ファーガソン、二〇一八（Ferguson, 2017）、八〜九頁）

これらは、グローバル化の中で力を持った巨大ネット企業が、主にマーケティングリサーチのために、その商品を使わざるを得ないユーザーたちを不当に監視し、不適切に個人情報を収集しているという批判であり、また、それらによって得られるデータが、国家政府による市民の抑圧に流用されかねないという危惧です。

さらに今日では「ユーザーによるユーザーの監視」も拡大しています。ソーシャルメディアが好例ですが、人々がネット上で何を発信したのか（あるいは、何を発信しなかったのか）は、みな他者に監視され、自分の行為がいかにクールであったか（あるいは、クールでなかったか）は、「Ｌｉｋｅ（いいね）」「参考になった」「お気に入り」などの回数によって、必ず他のユーザーによって評価されています。

こうした相互監視は、ソーシャルメディアの利用者だけが対象なのではありません。総務省の通信利用動向調査（平成三〇年）によれば、すでに日本においてスマートフォンの個人保有率は六四・七％で、二〇代と三〇代では九〇％を超え、インターネット利用者の六〇・〇％が何らかのソーシャルメディアを利用しています。それが意味するのは、私たちは高性能カメラとソーシャルメディアを備えたスマートフォンを持つ人々に、常に囲まれているということです。つまり私たちはすでに、自身の日常生活の何が、いつ、誰によって、どのようにネットで書き込まれ、それがどの程度の人々に、どのように評価されるのかを知ることができない状態にあります。

犯罪や迷惑行為を犯したり不適切な発言をした人間がスマートフォンをもつ他者（あるいは本人）によって撮影・拡散されて糾弾される例は枚挙に暇がありません。犯罪に限らずとも、我々は飲食店を探すときは、飲食店の口コミサイトやグーグルマップに書かれた「クチコミ」や「レビュー」を参照するし、多少リテラシーのある者なら、そのクチコミやレビューを書き込んだユーザーが信用に足る者なのかも考慮し、そのユーザーが書きこんだ他の口コミも参照するでしょう。オンラインモールで商品を購入する際も同様に、店舗や商品のレビューを読みつつ、レビューを書き込んだユーザーの信頼性を推し量ります。この世のあらゆる商品、あらゆる人間のあらゆる行為が、レビューという名の監視の対象になっていると言っても過言ではないのかもしれません。

このような事実上無限に広がる社会的相互監視をどう理解するかは、社会学において論じられています。若者のソーシャルメディア利用の代表的研究者であるダナ・ボイド（二〇一四（boyd, 2014））は、アメリカの若者たちが、ソーシャルメディア上で他者からの「見られ方」を演出せざるを得ない状況にあり、演出の能力如何によって、学校などでの日常生活の社会的状況が左右されかねないと考え、振る舞っていることを指摘しています。それは既存の社会構造の問題の反映と再強化であるとともに、伊藤（二〇一七）がいうように、ソーシャルメディアの利用拡大は、人々が「見る／見られる」という関係の中に身を置くことを常態化させる情報環境を生み出していることが一因です。

鈴木謙介はこのような状態にある今日的な社会心理を、「見て欲しいように見てもらっているかどうか不安」と端的に表現しています（鈴木、二〇一三）。「見られているかどうか不安」なのではありません。それは過去の問題であり、いまは「見られている」のはすでに当然の前提であり、「見られ方」のコントロール性（あるいは、その不可能性）が問題なのです。

監視批判の難しさ

では私たちは、このような監視に囲まれつつある状況をどのように評価すればよいのでしょうか。監視が強大化し、我々の自由がさらに抑圧され、プライバシーが侵害されているといった枠組みでの監視批判は、一般的によく見られます。

例えば、テイム・バーナーズ＝リーは、自身がインターネットの基幹技術（WWW、URL、HTTP、HTMLなど）の設計者であるという立場から、巨大ネット企業が人々の個人情報を中央集権的に収集する今日の構造を非難しています。また近年、そうしたネット企業の個人情報の保護体制がずさんであることは、幾度も批判されています。さらに若者たちの間ではSNSを介して他者評価という監視に晒され続けることへの疲労感が広がっていることも指摘されます。しかしそれでも私たちは、自らを監視するテクノロジーを利用しつづけています。

こうした矛盾について野尻（二〇一七）は、よく見られる監視批判の論点を次のように指摘します。

焦点となっているのは、結局のところ『監視は是か非か』という問いであり、その問いを発する者の念頭にあるのは『監視は本来的に否定されるべきものだ』という認識である（中略）。そもそも現代社会において監視を批判することがなぜ困難であるのか、という問いが立てられる場合もある（野尻、二〇一七、三〜四頁）

実際のところ、監視批判論者が主張するような監視の縮小は、現実には不可能に近いといえます。極端な例として、リチャード・ストールマンという、世界的に著名なプログラマーがいますが、彼は自身のWebサイトで、個人情報の収集やユーザー行動の監視や検閲が行われているとして、アマゾン、アップル、フェイスブック、グーグルなど、著名な二五社のサービスについて「使うべきでない」理由を挙げているほか、社会運動の一環として、個人情報を収集されないウェブ閲覧手法を公開し、さらに携帯電話を「Portable surveillance and tracking device」と呼び、利用しないことを推奨しています。

しかし監視されること／することが嫌だからといって、いまや検索サイトの利用をやめたり、ネット上の様々なレビューを全て無視するような生活をすることは、ふつうの人々にとってはかなり難しいです。それができるのは、彼のように極めて高い技術を持った、ごく限られた者だけでしょう。

もちろん、監視への強硬な批判は、ある種の規範論や理想論を提示したり、論点を抽出するための意義はあるでしょう。しかしながら現実には、監視されること／することを抜きにした生活はもはや成立しない段階まで、電子的テクノロジーの利用は進展し浸透しています。

3 自由と監視の両面性

流動化する社会

ある種の監視の排除が現実的に難しいのは、前節で見たように、それが便利であり、すでに隅々まで行き渡っているからです。ただしそれだけでなく、監視を「排除すべき悪」とする論理的枠組み自体にもまた問題があると考えられています。

その代表的論者であるバウマンは、「社会の液状化」という観点から、監視そのものがフーコーによってパノプティコンを用いて説明されたようなものではなくなったのだと指摘しました。バウマン（二〇一八）によれば、パノプティコンの特徴は「特定の責任者が近くにいる」ということです。つまり、①パノプティコンでは、自由に移動できる少数の責任者や管理者＝「見る者」が、多数の移動できない人々＝

「見られる者」の自由、自律、選択を抑圧しているとされる。②しかし現代の流動的な社会では「特定の責任者が近くにいる」という前提が必ずしも自明ではなくなっている。③それは今日の社会において、社会の細部まで統制を加え秩序立てる大きな力を持った明確な権力主体が後景化しており、国家も企業も地域社会も、もはや我々の生活のすべてを管理しようとはしないし、逆に保護もしなくなった（あるいは、できなくなった）からである。彼はそのように主張します。

「われわれを監視するビッグ・ブラザー」は姿を消した。いまは逆に、われわれがビッグ・ブラザーやビッグ・シスターたちを監視して（中略）、模範とすべき例、個人的問題処理へのヒントや有益な教訓がえられることを期待して、かれらをしっかりと、熱心に観察する。われわれを指導し、また、われわれの行動責任を免除してくれるような指導者は、もはや存在しなくなった（バウマン、二〇一八（Bauman, 2000）、四〇頁）

ビッグ・ブラザー、つまり大きい明確な目標を持った少数の監視者たるものは、もはや存在しないというのです。

実際、例えば今日の国家政府（日本政府のような）が、ビッグ・ブラザーのように人々を監視し、その一挙手一投足を制御するような強力な監視の権力を持てるとは考えにくいかもしれません。あるいは監視者が国家政府から巨大ネット企業に取り代わりつつあるという主張もありますが、ネット利用という次元に限ってみても、検索サイト、ソーシャルメディア、オンラインモールと、監視者は無数に存在し、かつそれらは我々の行為の全体ではなく部分（例えば、検索キーワード、他者との会話、購入履歴など）を監視しています。つまり監視者は特定少数ではなく不特定多数であり、しかもどの主体も、絶対的な監視者とはいえません。

さらにバウマンに言わせれば、これまで権力側に立つと考えられてきた国家、企業、政治家、経営者、セレブなどは、今やその言動がソーシャルメディアを介して一般大衆から、従来よりもより強く、より細かく監視されているという状況もあるとされます。監視する側だったはずの権力者たちが、監視される側にも立っているのです。そして一般市民もまた、他の一般市民によって監視されています。監視される者同士で監視しあっているのです。このように彼は、明確で絶対的な少数の監視者が多数の被監視者を一方的に監視しつづけるという見方だけでは、現代の監視状況は説明しきれなくなっているというのです。

こうした観点からバウマンは、近代社会が「固体的（Solid）」であったのに対して、今日の社会は「流動的・流体的（Liquid）」になったと表現しています。すなわち、我々を監視する「何者か」は未だに存在するけれども、その「何者か」が何者であるのかは、従来のように固定的なのではなく、流動的に変わるようになったというのです。

バウマンの枠組みに依拠すると、今日、監視の排除が困難なのは、監視の権力が単に強大化したからだというよりも、監視の主体や方法、位相が多様化し、監視そのものが流動的でつかみどころのない存在になったからだということができます。それはある意味、従来の明確で強力な監視者による束縛からの解放、つまり「〜からの自由」を意味する変化でもあります。

先のヴァイディアナサンもまた、電子的テクノロジーの利用拡大をめぐる今日の監視状況は、従来の「パノプティコン・モデル」では説明できないと指摘しています。

パノプティコン・モデルは今日の私たちの苦境を十分に説明するものではない。まず第一に、大規模な監視が人々の行動を統制するわけではないからだ。人々は、自分を捉えている多くのカメラを気にせずに、よくおかしな行動をする。ロンドンやニューヨークにある何千もの監視カメラが、常軌を逸した行動や前衛芸術的な行動をやめさせることはない（中略）。

さらに重要なことは、ヨーロッパや北米、そして他の多くの地域において働いている力は、パノプティコンとは正反対だということである。それらは、中央集権化された単一の権力による監視への個人の服従ではなく、多くの人々による絶えざる監視――潜在的にはすべての人々による監視――を意味している。私たちに働いている力は「クリプトプティコン」（見えざる監視）――他によい言葉がみつからない――なのである。ベンサムの囚人とは異なり、私たちは、自分が観察されプロファイルされるすべての方法を知っているわけではない。ただ、その事実を知っているだけである。そして私たちは、監視の目にさらされていても自分の行動を規制することはない。というよりも、そんなことは気にしていないようなのだ（ヴァイディアナサン、二〇一二（Vaidhyanathan, 2011）、一五六～一五七頁）

今日の社会を流動的な存在と考えた場合、監視を、「～からの自由」を抑圧する本来的な悪と考える枠組みは、現実的に達成不可能なだけでなく、理論的にも説得力に欠けるのです。少数の巨大な権力主体によって個人の自由（「～からの自由」）が抑圧されているというストーリーは、もはや成立しなくなりつつあるというのが、バウマンの見方です。

規範としての監視

しかしながら「自由」もまた、流動的になっています。

明確な監視者から「自由」だと束縛されているならば、その監視は逆に、「このように生きればいい」「このように生きるべき」という明確な規範として機能し、それに従うことで、生き方を選択する責任の一部を、監視者に託すこともできました。しかし明確で固定的な監視者＝指導者が不在であること、つまり流動的な監視＝規範のもとで「自由に生きてもいい」ということは、我々の眼前に「どのように生きるか」という重大問題がつねに突きつけられ、その問題に、自分の責任において答えを出していくことが求められることを意味してしまいます。しかも明確な監視者＝規範の不在は、自身の選択の妥当性を判断する絶対的な評価軸が得られないことも意味します。どのような選択をしたとしても、その選択が「正解」や「妥当」であることを審判してくれる存在や、それを判断する絶対的な尺度は存在せず、あるのは相対的で、流動的な規範や尺度でしかないのです。

明確な監視者の不在は、無数の規範の存在を可能にしました。明確な監視者の不在によって生まれたのは、「自由に選択できる個人」ではなく、自分が何者であるのかを「自由に選択せざるを得ない個人」であるというべきでしょう。そして個人が文字通りの個人として、つまり自分自身の力と意志で選択せざるを得ない状況において、流動的な規範の中でなされた選択が妥当なものであるかは、誰にもわかりません。「選択の自由という、本来、すばらしいはずのもののなかには、不確実性が汚点のように、残りつづけることになる（バウマン、二〇一八（Bauman, 2000）、一一四頁）」のです。

監視のシステムは、そもそもリスク回避のために求められるという側面があります。リスクには物理的危害など様々なものが含まれますが、ここでは、監視されることによって選択の妥当性の不確実性というリスクを排除できるという期待を生むことを、監視がもつ一つの便益といえるでしょう。流動的な社会において自由は、「自由でなければならないという束縛」にもなりうるのです。その状況において改めて監視されるということは、自らの成すべき選択をだれかが改めて明確化してくれることも意味します。だから監視社会はある意味、便利で快適でもあるのです。

いい方を変えれば、社会の流動化が消極的自由をある面で拡大したとしても、積極的自由については必ずしもそうではないし、人々はそこで逆説的に監視という束縛を求めすらしうるといえます。これはフロムの自由論にも類似した枠組みかもしれません。

監視されることと積極的自由

こうした問題に関して、ライアンはバウマンと同様に、社会における監視の意味を再考しました。彼の理論は今日の電子的監視を理解する上でも重要なので、やや迂遠になりますが、順を追って整理します。まずライアンは、監視という概念そのものが、二つの異なる次元を内包すると考えました。

> 監視——見張ること——という同一の過程が、可能性を広げると同時に束縛をかけ、配慮にも管理にも関わる（ライアン、二〇〇二（Lyon, 2001）、一四頁）

彼は、監視するということは、被監視者が悪事を行わないように、監視者が自分のために「管理」するだけでなく、同時に、都合の悪いことが被監視者に起こらないように、あるいは被監視者が悪事を行ってしまわないように、被監視者のために監視する、つまり「配慮」するという行為でもあると考えます。監視は管理と配慮という二面性を持つというのが、ライアンの基本的な命題です。

例えば、登下校中の子どもの位置情報を親がＧＰＳ端末やスマートフォンで監視する行為は、親が子どもを「管理」しているといえます。しかしそれは同時に、親が子どもの安全を守るとともに、子ども自身が親から見られていることを自覚して寄り道をしないように「配慮」しているといえます。

また私たちのネット上での言動は、ネット企業から様々な形で監視されていますが、それは企業にとっては、ユーザーの行動を統計的に処理しマーケティング等に利用しようという「管理」であると同時に、ユーザーに都合の良い情報をリコメンドして不要な情報を排除したり、スパム情報をフィルタリングするなど、我々が不適切な情報を利用しないようにしてくれている「配慮」でもあると整理できます。ライアン研究者の野尻（二〇一七）が論じたように、我々の日常生活は「管理」によって抑圧されているかもしれないが、同時に「配慮」によって選択肢が拡大ないし整理されてもいて、それは監視が本質的に持っている両側面なのであるという監視の両面性を指摘したことが、ライアンの監視社会論の最も重要なポイントです。また近年では、バウマンもある程度まで同様の見解を持つに至っています（バウマン・ライアン、二〇一三）。

そしてバウマンが指摘するような、人々が自ら監視され、ある種の監視システムに順応しているのはなぜなのかという問題について、ライアンは次のような説明を提示します。

監視システムへの順応は、社会という一種のオーケストラへの参加として理解できる。何らかの理由で周縁に押しやられたり、外側に排除されたりしていない限り、社会への参加とは、一般に、自分たちの日常生活を追跡・モニターするメカニズムに能動的に関与することなのである（同、二一二頁）

比喩的な表現ですが、ライアンは、「社会という一種のオーケストラ」つまり、多様な人々が互いに協力しあうことで成立しているのが社会であり、そこに参加するということは、オーケストラの一員として他の成員たちからどれだけオーケストラの成立に献身できているのかを注視されるように、他者から監視されることを自ら選ぶことだというのです。それは社会への参加それ自体が監視への参加であり、社会そのものが監視によって成立しているという考え方です。そのことを彼は、次のように順を追って説明します（ライアン、二〇〇二（Lyon, 2001））。

①前近代の伝統的社会において人々は、人間同士が実際におなじ場所で会うこと、つまり対面接触によって生じる、「『お互いの目を見ること』なり、握手で締めくくられる取引なりに由来する信用（同、三一頁）」という、「身体の介在」によって社会関係を編成していた。
②しかし、近代化とりわけ交通と電子的テクノロジー（ライアンは電話やクレジットカード、携帯電話、インターネットなどを挙げます）の発達により、人々は従来よりもはるかに頻繁に、遠くまで移動を繰り返しながら生活するようになり、人々の行動の空間的な流動化を進めた。
③そのため人々の対面接触の機会は減少し、身体の介在だけでは社会関係の編成が困難になったため、社会関係は電子的手段による介在によって編成されるようになった。
④それゆえかつての「身体の介在」という伝統的な社会統合の代替物として、電子的監視のシステムが追求され拡大した。

こうしたライアンの監視概念は、監視を、テクノロジーの発達によって新たに生まれたものではなく、それ以前から普遍的に存在し、「管理」と「配慮」の両面性によって社会を成立させる、社会の基本的要素として考えるものです。それゆえライアンの監視概念は、人間が本来的に行ってきたコミュニケーションの一種として理解されるべきだとも考えられています（野尻、二〇一七）。

ライアンの考え方に依拠すると、人々は社会の一員である以上は監視から逃れることはできないけれども、しかしその監視は権力者が一方的に人々の自由を抑圧する状態だけを必ずしも意味しません。監視は「管理」によって個人の可能性を縛ると同時に、「配慮」によって個人の可能性をある面では広げもするのです。そう考えると、テクノロジーの利用拡大がある種の監視社会化を必然とすることや、それが消極的自由をもたらしても積極的自由をもたらすとは限らないといった問題が整理できます。すなわち、人々は生活の様々なシーンで必然的にテクノロジーを利用する状態にあり、それゆえ必然的に何らかの他者からの電子的な監視を受けるけれども、それは人々が社会の一員として社会に参加し、他者と関わり合いながら自らの能力を発揮し社会に新たな価値を生むこと、いわば積極的自由の獲得や拡大のために必要なことなのだということができます。

積極的自由を得ることと、ある意味で監視されることとは、いわば一枚のコインの表裏の関係にあります。だから本章の冒頭で述べたように、私たちは監視されているから、自由なのである、と考えることもできるのです。

4　ローカルな監視と上位空間の電子的監視

ライアンの監視社会論の課題

ただし、ライアンは今日の電子的監視を称賛しているわけではありません。

彼の監視社会論の特徴は、監視を「管理」と「配慮」の両側面から理解しようとした点にありますが、彼はその両者のバランスに、今日の電子的監視の問題点があると指摘しています。つまりテクノロジーの発達と、バウマンのいう価値観や規範の「液状化」のなかで、ライアンは両側面のうち「管理」の側面ばかりが強大化し「配慮」が周縁化されつつあると危惧しました。

選択の自由（消極的自由）の拡大のなかで「不確実性が汚点のように、残りつづけることになる（バウマン、二〇一八（Bauman, 2000）、一一四頁）」ゆえに、自身の選択の妥当性の不確実性というリスクを排除するために逆説的に監視が用いられるという現象は、監視が「管理」に傾くアンバランスな肥大化の例といえるでしょう。テクノロジーは人間にとって道具であったはずなのに、いつのまにか人間が道具のはずのテクノロジーに客体化され操作される構図が成立しつつあります。

その状況は便利で快適でもあります。ただライアンは監視の「配慮」の側面を取り戻すべきだと主張します。電子的監視のない＝電子的テクノロジーのない社会はやはり、もはや存在しえないという前提の上で、「顔の見える社会関係」の再構築と再拡大、つまり近代化や電子的テクノロジーの発達以前の、身体の介在によって社会関係が編成される局面と可能性を拡大し、監視される者が、自らが「いかに監視されるか」を修正できる余地を残すべきだというのがライアンの主張です。

つまり彼が課題として示したのは、社会において構造化されてしまった、あるいはされつつある電子的監視を、人々が自分自身で組み替える方法や可能性はいかなるものかという問題です。

それは本書の言葉でいい換えれば、電子的テクノロジーを用いつついかに積極的自由を得ることができるのかという問題でもあります。人々が自ら主体的に電子的テクノロジーを利用するだけでなく、その利用をめぐる社会関係や電子的テクノロジーに主体的に関与して改変し、人々にとって所与の社会的条件を作り変えていくことができる場を、電子的テクノロジーを用いつつ確保し活用するには、どのような営為や条件が必要なのかを考察することは、電子的相互監視が当然となった今日の課題です。

監視者はどこにいるのか？（1）

電子的監視を組み換えるための、身体の介在による社会関係の編成の場は、どのような営為や条件のもとで再構築されうるのか——本章の最後で、この問題を地理学的に整理しておきたいと思います。

ポイントとなるのは、地理学で最も基本的な論点となる、「どこ」という点です。すなわち、電子的監視はどこから行われていて、どこから監視されているのかという問題です。先にバウマンがパノプティコンの本質を「特定の責任者が近くにいる」ことと看破したように、「監視者がどこにいるのか」という空間的問題は、監視をめぐる重大な論点の一つでもあります。バウマンは「自分がどこにいることができるか」の選択能力こそ、監視が持つ支配力であると考えています。

かれら（筆者注：パノプティコンにおける囚人）には移動の自由をもつ監視者の居場所がわからなかったし、わかるすべもなかったから、指定された場所にいつづける以外なかったのである。監視者

の支配力は動きの柔軟性、巧妙さによって決まる（バウマン、二〇一八（Bauman, 2000）、一四頁）

そしてこうしたパノプティコン式の監視が流動化・液状化したことで、監視する者とされる者が、それぞれ「どこにいることができるか」も流動化・液状化したとバウマンは考えます。つまり空間における移動能力に焦点があてられます。

命令をあたえる者の居場所は重要ではなくなった。つまり、『近く』と『遠く』、『いなか』と『都会』、『未開』と『文明』の違いは意味をなさなくなった（同、一五頁）

ポスト・パノプティコンでは、人間の命運を左右するような権力レバーを握る者たちは、いつでも、だれの手もとどかないところまで、逃げていくことができるのである（同、一六頁）

彼は、テクノロジーが持つ、空間と距離の超越という機能を監視者が得つづけた結果、監視する者とされる者との空間の移動能力に差がつきすぎることで、監視者はどこからでも監視できるようになったというのです。すると監視される側は、自らを監視する者たちに意義を申し立てることはおろか、監視者がどこにいるのかを知ることすらも難しくなります。こうしたバウマンの考え方は、液状化した社会において は自由に空間を移動できる人々とそうでない人々との格差や乖離が構造化されるという、彼の中心的な問題意識に基づくものです。彼は空間を自由に移動できる人々を「ツーリスト」と呼び、そこに単なる「旅行者」以上の特権階級的な意味を込めています。

そしてこのように考える場合、身体の介在による社会関係の編成の場を再構築するというのは、重要な課題である一方、それの実現は困難であると考えざるを得なくなります。

しかしながら、こうしたバウマン（やライアン）の見解は、比喩的ではあるものの、テクノロジーがあればどこからでも一方的に監視しつづけられるという、典型的な技術万能論の性格も帯びています。テクノロジーによって監視者は空間と距離をある程度は超越して監視できるかもしれないし、空間をある程度は自由に移動できるかもしれません。しかし、それは実際にはある程度に過ぎず、現実には、監視者はつねに、具体的に「どこか」の空間に存在するはずです。しかしそれがどこなのかは、「『いなか』と『都会』、『未開』と『文明』の違いは意味をなさなくなった」と述べるように、ほとんど論じられません。しかし監視者がいるのは、どこかの空間であるはずです。

監視者はどこにいるのか？（2）

問題は、監視者がいる空間はどのような空間なのかを、どのように理解すればよいのかということです。

地理学的には、監視者がどの空間にいるか――どこから監視されているか――は、第一章で触れたように、空間をそのスケールの広がりから垂直的に分ける思考で理解することもできます。つまりある監視が行われているとした場合、それは、その地域の内部というローカルな空間における監視なのか、日本全体のようなナショナルな空間スケールにおける監視なのか、あるいはグローバルなスケールでの監視なのか、というように整理することができます。それはすなわち、どの空間スケールにおいて監視されているのかという問いに変換されます。

この枠組みに依拠すると、例えば、伝統的な地域における対面接触を介した社会関係、つまり「顔の見える」身体の介在によって編成される社会関係は、ローカルな空間における監視です。一方、SNS上での相互監視やネット企業による個人情報収集など特定の場所に固着しない電子的監視は、より広域な空間における監視、つまりナショナルな監視やグローバルな監視です。

ライアンのいうように、身体の介在が次第に消失して、監視の「管理」の側面が拡大し、バウマンのいうように監視者が「だれの手もとどかないところ」に逃げていく現象は、ローカルな監視が、より広域な空間スケールの監視に覆われていく現象だと理解できます。逆にいえば、身体が介在しない、より広域な空間に監視システムが完全に移行した場合、それを改変しようとしても、人々が現実の社会生活を行うローカルな空間からは手が届かなくなると危惧されているのです。身体の介在による社会関係の編成の場を再構築し、「いかに監視されるか」を修正できる余地を残すには、ナショナルな監視やグローバルな監視に対抗しうるような、身体が介在するローカルな監視を再構築することが必要だといえます。

ここまでの考察に依拠すると、電子的テクノロジーの利用を前提とする今日の社会において、積極的自由を理解する視点の一つとして、地域の諸主体がローカルな社会関係に対していかに主体的に関与し、そこでの監視の在り方をいかに（再）編成し、そしてそのことが、より上位の空間スケールにおける監視の圧力や拡大をいかに組み換えることができるのか、あるいはできないのかを理解するということが挙げられます。

そして、すべての種類の監視システムがローカルからナショナル、グローバルへと広域な空間スケールに遷移するわけではないはずです。どのような種類の監視システムが広域な空間スケールに遷移し、身体の介在によるローカルな監視のうち、どのようなものがローカルのまま残るのか、あるいは再編されるのかという、監視と自由の空間的な分離と再構築を把握する必要があります。こうした作業を通して、ローカルな諸主体の営みは、その地域に所与の地理的環境やその影響下にある社会的諸事象とどのように関連し、結果として地域の様態や構造はどのように変わるのかを把握することが、電子的テクノロジーをめぐる自由を地理学的に理解するための一つの視点になると考えられます。

今日、電子的テクノロジーをどのように利用するかということは、とりもなおさず、自分がどの空間から監視されることを引き受けるのか、あるいはどの空間スケールにおける自由を選ぶのかの選択といえるのかもしれません。そしてその選択は地域の中で一律とも限りません。むしろ多様であるはずです。自由と監視の両義性に立脚した地理学的視点とは、地域の多様な主体による多様な選択がなされる中で、自由と監視が、ローカルな空間のそれと、より広域な空間のそれとに、どのように空間的に分解されるのか、それは地域の地理的環境とどのように関係するのか、そして、それらの総体の動態にはどのような地域差がみられるのかといった問題に答えを出すことだといえるでしょう。

5　テクノロジーをめぐる自由・監視・地域

本章の検討は以下のようにまとめられます。

①今日、電子的監視は拡大を続けているが、それは止めることも、縮小させることも、そこから逃れることも困難な存在である。我々は、本来的に悪としてきた監視の意味を再考する必要がある。

②近年では、自由と監視が本来的に両義的だと考えられつつある。既存の社会秩序が「液状化」し、明確で強力な監視者の存在が後退した結果、人々は消極的な意味で、より「自由」に生きることができるようになった。しかしそれは同時に、「いかに自由に生きるべきか」を自分の代わりに決定してくれる権威的存在の流動化も意味し、積極的自由の拡大には必ずしも至らない。積極的自由の獲得、つまり社会に主体的に参加し改変することは、あらゆる監視から逃れようとすることではなく、みずから他者に監視されることを必然とする。積極的自由を得ることと監視されることとは表裏一体である。

③ただし今日の電子的監視では、際限のないテクノロジーの利用拡大にともなって、監視が有する「配慮」と「管理」のうち、後者の側面が肥大化している。それにともなって、身体を介在したローカルな空間における監視が、電子的手段を介在した、より広域な空間スケールにおける監視（ナショナル、グローバルな監視）へと移行し、監視者や監視システムが、監視される者たちにとって手の届かない、改変不可能な存在になりつつあると危惧されている。

④ローカルな地域における諸主体の積極的自由の拡大のためには、電子的テクノロジーを用いながらも、監視システムを改変する余地、すなわち人々が主体的に社会に関与し改変できる場が必要である。そこでは、ナショナル、グローバルな空間における監視システムに対する、身体が介在するローカルな監視、すなわち「ローカルな束縛」の再構築が求められる。検討すべき課題は、その再構築が、ローカルな地域の地理的環境やそこで展開する経済構造や社会関係との関係の中で、地域の諸主体によっていかに達成できるのか、そこにはいかなる地域差が生じるのかということである。

ＩＣＴやインターネットはそれ自体が、人々に自由と監視の両方をもたらす存在です。それらを利用することが当然となった今日の社会において、「どれだけ自由になれるか」という問題は、時に「どれだけ監視されるか」という問題と表裏一体です。広域な空間スケールにおける電子的監視と、ローカルな地域の身体を介在した監視との相克を把握することが、地域において「どれだけ自由になれるか」の客観的な把握につながると考えられます。

――「自由の地域差」の枠組み――

「どれだけ自由になれるか」の地域差

ここまで、自由の地域差を理解する方法を考えてきました。

「自由とは何か?」という問題は、消極的自由(〜からの自由)と積極的自由(「〜への自由」)に分けることができました。その最も基本的な意味は、前者は、他者の権力や社会的条件による束縛から解放されることであり、後者は反対に、自ら主体的に新しい権力や社会的条件を構築し、他者への束縛を生成したり改変したりすることです。

ただし、消極的自由と積極的自由の価値評価は論者によって異なっています。そもそも消極的/積極的自由という枠組みは、いずれかを「真の自由」として称揚し、もう片方を「偽りの自由」と無価値とするような一元的な価値判断をするためのものではありません。なので人間の諸行為や社会状況をそのまま抜き出して吟味しても、そこにいかなる消極的/積極的自由がいかに存在するのかを説明するのは困難です。だから、それぞれの文脈の中でそれぞれの自由の価値を適宜判断する必要があります。

こうした自由の価値判断の文脈として、筆者は地理学的視点を導入しました。これは、ごく単純にいえば、次のような考え方でした。

①あらゆる地域は地理的位置や自然環境といった固有の地理的環境を持ち、それには地域差が存在する。
②いかなる主体も何らかの地域の中に存在し、そこで様々な行為を行っている。
③ある地域で行われる人々の活動は、地理的環境と相互に影響しながら地域差を生む。

ある地域において人々がいかに自由に生きるかということも、地理的環境と相互に影響を与え合いながら地域差を生じます。したがって、ある地域において諸主体がどれだけ自由になれるのか、それはいかなる性質の自由であるのかは、個々の地域の地理的環境やそれを基底とする地域の状況や文脈をふまえて評価することが有効といえます。ではそれはいかに把握し解明できるのでしょうか。

本書では次のように、「自由の行為」と「束縛の構造」という二つの領域を便宜的に設定し、そこでの「自由の主体」の行為に着目します。

「自由の主体」は、次のような意味における個人もしくは組織です。「個人」とは、第一には単純に、社会を構成している個の単位としての人々を意味します。第二には、何らかの組織の一員としてではなく、人間が他者から相対的に離れた個体として存在しようとし、自身の目的を達成しようとしている「状態」を意味するものです。一方「組織」とは、人々が何らかの目的を達成するために集まった集合体であり、企業や団体を含むものです。

「個人」も「組織」も単体では存在せず、多かれ少なかれ、他の個人や組織との社会関係に組み込まれています。その社会関係は、地域の地理的環境から影響を受け、改変不可能ではなく、部分的に、漸進的に改変可能な形で構造化されていると考えます。そして個人と組織の一定数が結びつき、ある地理的環境のもとで固有の社会構造が形成されている一定の空間範囲をここでは「地域」と呼びます。

一方、ある地域において個人や組織をめぐって存在し、その行為を規定しようとする構造化された束縛を、「束縛の構造」と呼びます。地理的環境は「束縛の構造」の基底に存在し、その上部に、経済構造や社会関係など、ヴィダル・ドゥ・ラ・ブラーシュのいう社会的諸事象が存在して、地理的環境と相互に影響を与えあっていると考えます。地理的環境は、つねにこれらの社会的諸事象との相互関係を介在して、自由の主体の行為に影響するものとします。

ある地域において影響する「束縛の構造」には、その地域内部だけで完結するものと、そうでないものとがあると考えられます。つまり、その地域内部の「ローカルな束縛の構造」と、より広域な空間に展開する「広域な束縛の構造」が存在すると考えられます。地域の諸主体の行為は、それらの重層的な空間スケールをもつ「束縛の構造」の中に位置づけて、総合的に把握する必要があります。

そして「自由の行為」とは、人々の、消極的／積極的自由を求める価値観や規範などの意識形態に裏打ちされた、自由を求める諸行為を意味します。そして「自由の行為」は諸主体が何からの影響も受けず独立して行えるものではなく、その土台である「束縛の構造」から影響を受け、かつ一定範囲内でそれに反作用を及ぼし、「束縛の構造」の改変もする存在です。

右のように概念設定すると、地域的・空間的な観点において「自由である」ということは、ごく単純には次のように整理できます。

①「自由の主体」の側からいえば、自由とは、自らが存在する地域において、①その地域の「ローカルな束縛の構造」と、「広域な束縛の構造」からの束縛を逓減させることであり（消極的自由）、②また、それぞれの空間における束縛の構造を、自ら改変できること（積極的自由）でもある。

②地域の側からいえば、諸主体のそうした行為が可能であるように、地域内部の諸主体がどの空間スケールにおいてどのように束縛されるかを自律的に決定できる環境を、地域の諸主体によって自ら構築されているものを、自由な地域と呼ぶことができる。

これらはもちろん、自由の定義ではなく、仮定にすぎません。ただし地理学的に重要な問いは、こうした地域的・空間的な自由の在り方を仮定したときに、それがいかなる地域においてどのように現実に表出し、それが何を意味するかということです。すなわち、個人や組織によって、どのような「束縛の構造」に対して、どのような「自由の行為」が、消極的自由と積極的自由のそれぞれの意味でどの程度、どのように成立するのか、それによって「束縛の構造」や地域はいかに変質するのかを、地域の事例分析を通して把握することが必要です。

自由とテクノロジーをめぐる論点

先に述べたように、本書では「自由の行為」の可能性と限界を端的に表すものとして、インターネットという、電子的テクノロジーの利用に注目します。

インターネットやICTは人類にとっての新しい道具として、人々に新しい自由をもたらすと期待され、多種多様な多数の人々に利用されてきました。

ある個人や組織が新しくテクノロジーを何らかの形で利用するようになった時、そこで生じるのは、単純に「技術的にできることの拡張」です。それは例えば「時と場所を選ばずに他者とコミュニケーションができる」とか「人工知能を開発して自分の代わりに働かせる」いったことが挙げられます。ネット利用をめぐり第一に生じる変化は技術的変化です。

しかし「技術的にできること」が即、本当に実際の社会生活や経済活動に適用できるとは限りません。新技術はつねに、何らかの反発を受けながら少しずつ社会に受容され、次第に人々や組織の「できること」を拡張していると考えるべきです。だから「技術的にできること」ではなく、「技術と社会の相互の関わりの中でできるようになったこと」に着目すべきです。それはすなわち、技術的変化を通して生じる、テクノロジーを用いる人々（あるいは、あえて用いない人々）の価値観、行動原理、規範、行動戦略の変化、あるいはそれらを介した諸組織の変化を分析するということです。人々の自由は、テクノロジーを利用する人々の諸営為と地理的環境の影響下にある社会との相互作用のなかで、漸進的に拡大していると考えられます。テクノロジーを利用する主体が、社会と関わりあうなかで漸進的かつ部分的に社会を改変しつつ、しかも社会の側からもテクノロジーの内容やその利用方法や利用主体も改変されていくはずです。

また、もう一つ、自由とテクノロジーをめぐる論点としてポイントとなるのは、テクノロジーの利用が拡大すること自体が、自由の拡大を本当に意味するのかということです。

前節でも、テクノロジーの利用拡大を通して、監視の「配慮」と「管理」の両側面のうち、後者ばかりが強化されつつあるという問題を議論しました。人々を束縛から解放するはずだったテクノロジーの利用が、いつしかより強大な新しい束縛として、人々の自由を制限し縮小させていることも考えられます。

こうした状況の解釈として、先のブライドルは、示唆的な表現をしています。

テクノロジーは力と理解を拡張する。しかし一方的に適用されれば、力と理解を集中させる。自動化と計算の知識の歴史は、紡績工場からマイクロプロセッサまで、熟練を要しない機械が徐々に人間の労働者の代わりになるだけではない。それは同時に、権力がより少数の手に集中する物語だ。理解がより少数の頭脳に集中するという物語だ（ブライドル、二〇一八（Bridle, 2018）、一四一頁）

（筆者注：テクノロジーによって）視界はどんどん開けているのに、主体性はかつてなく低下している。世界についての知識が増えていく一方で、世界についてできることは減っている。その結果として生じる無力感は（中略）、私たちを、よりいっそうのパラノイアと社会の崩壊へと落とし込む（同、二一九頁）

彼の言葉をいい換えれば、テクノロジーの発達と利用拡大は、個々の人々や組織に力を与えるというよりも、むしろ人々が主体的にシステムに関与し改変しようとする機会や、テクノロジーを利用しようとする人々の主体性が、かえって失われるように作用しているという逆説性がここでは指摘されています。それはかつてイリイチが指摘した、電子的テクノロジーに限らず、人々が「道具」によって利用されてしまう矛盾した時代が到来しているということの、ひとつの側面だといえるでしょう。

私達の時代の不公正の主な源は、まさにその性質からして、それを自律的に使用する自由をごく少数の者に制限してしまうような道具の存在を、政治的に容認することにある（イリイチ、二〇一五（Illich, 1973）、一〇三頁）

大規模な道具が人々の代わりにしてくれる何か〝よりよい〟ことと引き換えに、人々が、自分の力をおたがいの力でできることを行う生まれつきの能力を放棄するとき、根源的独占が成立する（イリイチ、二〇一五（Illich, 1973）、一二六頁）

イリイチのいう「自律的に使用する自由をごく少数の者に制限してしまうような」「大規模な道具」を、GAFAのような大手ネット企業が提供するサービスに重ね合わせることもできるでしょう。そうした「根源的独占」や、ブライドルのいう、「権力がより少数の手に集中する物語」とは、本書の言葉でいえば、地域の人々によって主体的に改変されうる対象であった「束縛の構造」の変化といえます。すなわち、かつて様々な地域にそれぞれ固有な形で存在していた「ローカルな束縛の構造」が縮小し、手のとどかない「広域な束縛の構造」へと、「束縛の構造」が空間的に収斂していきかねないという問題です。そこで取り上げられるのは、際限なく拡大するテクノロジーによって、人々の「できるはずのこと」も際限なく拡大していくはずなのに、むしろ、かえって「できること」は縮小しているように見えるという、自由とテクノロジーをめぐる現代社会のパラドクスです。テクノロジーの利用をめぐる社会的な変化の意味を解釈するには、このパラドクスの存在への留意が必要です。

ただし本書の立場は、仮にそうした「束縛の構造」の収斂があったとしても（あるいは、ありそうだけれどもなかったとしても）、その在り方や意味をめぐる「自由の地域差」があるということです。「ローカルな束縛の構造」が「広域な束縛の構造」に飲み込まれていくとしても、そうでないとしても、それがいかに、どの程度生じているのかということや、そのことが地域において何を意味しているのかということが、地域によって異なるはずです。

そしてそれを理解するためには、電子的テクノロジーの利用をめぐって、ローカルな空間と広域な空間に、それぞれ、どのような自由と束縛が存在するようになるのかを把握する必要があります。テクノロジーの発達と利用が進展しても、すべての「ローカルな束縛の構造」が過去のものになるとも、また、すべてが「広域な束縛の構造」のもとに置かれるとも、考えにくいです。起きているのは、「ローカルな束縛の構造」が部分的かつ漸進的に解消され、かつ、人々の活動の一部が、次第に、あるいは一時的に「広域な束縛の構造」のもとに置かれつつある現象だと考えられます。「ローカルな束縛の構造」のすべてが「広域な束縛の構造」に置き換わるというのは技術決定論であり、また結局「ローカルな束縛の構造」がテクノロジーの利用可能性を決めるのだというのは社会決定論といえ、いずれも適切な見方とはいえません。本書では、電子的テクノロジーの利用をめぐって、どのような種類の自由と束縛が、ローカルな空間と広域な空間のどこに存在するようになったのかということの理解を目指します。

観光・レジャー、情報技術者、インフルエンサー

こうした自由の地域差を実証的に検討するためには、特にネット利用が進展している分野や人々に焦点を絞ることが有効です。

つづく第二部と第三部では、①観光・レジャー産業と、②情報技術者およびインフルエンサーをめぐる「束縛の構造」と「自由の行為」のケーススタディを行います。

①の観光・レジャーはサービス業であり、農業や製造業や小売業など他の産業との重要な違いとして「商品が物理的な形を持たない」という特性を持ちます。衣類や食べ物や自動車など、物理的な形を持つ商品であれば、それを購入する際に、事前に手にとって吟味できるなど、「事前体験」ができます。しかし観光・レジャーは、「体験」そのものが商品になるので、「事前体験」が本質的に不可能です。それゆえ

私たちが観光・レジャーを行う際、つまり観光・レジャー商品を購入する際には、事前に商品（体験）の情報を収集し、その情報から、体験しようとする観光・レジャーのイメージを脳内に構築して、それを確認しに、実際に観光・レジャーを行います。

それゆえ観光・レジャー産業は、商品の生産、流通、消費において情報がより重要な役割を果たすという意味で、情報産業の側面を持ちます。このため観光・レジャー産業は最も早くからインターネットの利用が進んだ産業の一つとして知られています。観光地や飲食店などの情報がネット上に無数に存在し、航空券や鉄道、宿泊施設の利用予約がネット上で行われるのが当たり前になっているのは、こうした特性に一因があります。だから観光・レジャーは、インターネット利用がもたらす自由の拡大とその限界を読み取るのに最も適した産業領域の一つなのです。

②の情報技術者（以下では適宜、単に「技術者」と略記します）とは、主にインターネット企業に関係する、ソフトウェアや情報システムの構築を仕事とする、エンジニアやプログラマーと呼ばれる人々です。情報技術者は、インターネットの技術的な利用可能性を最もよく理解し、そしてそれをよく利用できる人々です。またインフルエンサーは、SNSの利用が広がるなかで、本来は有名人ではないにもかかわらず、SNS上で大きな影響力を持った一般人を指します。彼ら彼女らはインターネットの技術的な理解は情報技術者ほどではないかもしれませんが、にも関わらずインターネットを利用して注目され活躍している人々です。それは、今日のネット社会のある種の文化を理解し体現しているからだと考えられます。

つまり情報技術者やインフルエンサーたちは、電子的テクノロジーの技術や、それをめぐる文化を最もよく理解している人々だといえます。だから彼女ら彼らがいかに「自由の行為」を成せるのかを理解することで、様々な空間スケールの「束縛の構造」の中で、技術的にも社会的にも「どれだけ自由になれるか」の先鋭的な可能性と限界を看取できるはずです。

なお筆者は、情報技術者やインフルエンサーを称賛するわけではありませんし、とはいえ、表層的で下らない一過性の存在だとも評価しません。あくまで学術的立場から、こうした人々が、ある地域においていかなる地理的環境の影響のなかで、いかに電子的テクノロジーを利用し、どれだけ自由になれるのか、なれていないのかを検討するための分析対象として最適だと考えています。

第二部では、第四章でインフルエンサーを、第五章、六章で情報技術者の事例を分析します。ここでは共通して、ある地域や空間における個人の自由が問題とされます。インフルエンサーの例では、個人と個人、個人と企業組織からなるネット上の社会関係と、それが生み出す、地域や空間における情報環境をめぐる自由の問題を、都市部と非都市部（農山漁村など）という異なる空間の比較によって分析します。情報技術者の分析では、東京圏と地方都市における、個人と企業組織との社会関係に関する自由について、企業組織に関わる個人にとっての自由な地域のありようを、地域経済振興との関係から検討します。

第三部では、個人ではなく、観光産業という組織（企業）にとっての自由を論じます。ここでは観光産業の中でも宿泊業の伝統的な集積地である、山間部の有名な温泉地を舞台に、組織間の社会関係をめぐる自由を、その地域内部のローカルなスケールと、その地域を超えた広域なスケールの双方から分析していきます。

いい方を変えると、第二部は、ある地域や空間と別の地域や空間との自由を比較するのであって、そこでは空間の水平的な違いに着目します。それに対して第三部では、空間の垂直的な違い、つまり空間スケールの違いに着目します。これら空間の水平的・垂直的な差異の二軸からケーススタディを行い、立体的に自由の問題を分析し、終章でそれらを総合的に考察します。

第二部　「自由の模索」の地域差

——インフルエンサーと情報技術者の試み——

第四章　自由がもたらす相互監視の地域差

1　相互監視社会とＳＮＳ、情報環境の地域差

観光・レジャーとSNS利用

観光・レジャーは事前体験ができないので、人々がいかなる観光・レジャーを行うのかを決める際に、情報は重大な影響力を持ちます。情報流通の空間性は、観光・レジャーの空間性を左右します。それゆえ観光・レジャー産業は、インターネットの利用が最も早くから進展した分野の一つでした。

観光・レジャー情報の流通は、ネット利用の普及以前は旅行会社やマスメディアが握ってきましたが、近年では、個人間のネットコミュニティで流通する情報が、個人の観光・レジャー行動を決定づけるようになってきています。

インターネットやＳＮＳの利用拡大を背景に、若者を中心とした、観光・レジャーにおけるＳＮＳを介した情報の探索と発信が注目されています。では、若者たちは観光・レジャーを行うとき、どのようにＳＮＳを使っているのでしょうか。本章では、観光・レジャーにおけるＳＮＳ利用をめぐる、人々の行動の

根底的な思考枠組みを把握したいと思います。

筆者がすでに行った調査では、観光・レジャーにおけるSNS利用について次のことがわかっています(福井、二〇一八)。①観光・レジャーにおいてSNSは情報探索に広く用いられているが、情報発信を積極的に行うものは少数であること、②情報探索時には、友人や知人などとのSNS上での社会関係を介して得られる観光・レジャー情報が重要視されていることです。

つまり観光・レジャー情報を積極的に発信し、社会関係を介して一定数の他者に影響を与える少数のキーパーソン、つまりインフルエンサーが存在します。

SNS上での影響力の個人差はICTの利用スキルの個人差の一つといえます。学術的には、地理学ではICTの利用スキルの個人差は、求職機会などの諸機会への地域的格差を生みかねないと論じられています。また観光・レジャーに限らず、場所や地域の情報は、ネット上では、農村や自然地などの非都市部の情報よりも市街地のような都市部の情報が多く存在することも明らかになっています (Greenbrook-Held and Morrison, 2011, Graham et al., 2013)。するとこうした情報環境の地域差は、観光・レジャーにおけるSNS利用をいかに規定するのか、しないのかという問題が浮かび上がります。

そこで本章では、都市部と非都市部の情報環境の差異と、SNS上での影響力の個人差に着目し、東京大都市圏に居住する若者が観光・レジャーの情報の探索と発信においていかにSNSを利用しているのかを検討します。とりわけ、SNS上での影響力が強い少数の若者が、どのような者たちで、彼ら彼女らは都市部と非都市部それぞれの情報環境をいかに解釈しながらSNSを用いているのかを注視します。

相互監視社会のSNS利用

SNS利用の拡大は、人々が「見る／見られる」という関係の中に身を置くことを常態化させる情報環境を生み出しつつあると考えられています。

たとえばアメリカにおける若者のSNS利用の代表的論者であるボイドは、SNSを積極活用する比較的少数の若者が、SNS上での他者からの「見られ方」をコントロールする演出力に長けている、もしくは長けざるを得ない状況に置かれていることを指摘しています（ボイド、二〇一四（boyd, 2014））。その一因として、土井（二〇一五）やバウマン・ライアン（二〇一三（Bauman and Lyon, 2013））は次のように述べています。①今日では既存の社会的秩序の溶解や価値観の多様化によって、自身の行動や生活の戦略における選択の妥当性を測る社会的コンセンサスが不在化している。②そうした環境下でSNS利用に長けた一部の人々の間には、自身の選択の妥当性を測るためにSNSを他者評価を参照するツールにせざるを得ない状況が構成されつつある。③そしてこれらの結果として、他者の視線をかつて以上に意識する、個人間の社会的相互監視が強まっている。

これらのことはSNSを高度に利用する一部の人々だけに該当するとは限りません。鈴木（二〇一三）は、こうしたSNS利用が一般化した今日的な心理を「見て欲しいように見てもらっているかどうか不安」と端的に表現しています。価値観の多様化や情報利用の自由の拡大を背景として、一般人でも、さらにはSNSを利用していなくても、SNSを利用する不特定多数の他者から「見られる」可能性を排除できません。それゆえ自身の行動や発信した情報の「見られ方」という他者評価を重要視せざるを得なくなっているのです。

ただし、ここに地域差の観点を導入すると、都市部の情報を発信するのと非都市部の情報を発信するのとでは、他者からの「見られ方」が異なる可能性があります。また情報の探索においても、都市部の情報を探索するのと非都市部の情報を探索するのとで、探索の方法や意味も異なるでしょう。

つまり情報が豊富に蓄積される都市部とそうでない非都市部とで、観光・レジャーにおけるSNSの利用状況は量的にも質的にも異なると考えられます。さらにいえば、都市部において単純に情報が多いことは、情報が「多すぎる」という意味で、人々から必ずしも良いこととは見なされない可能性もあります。

そこで分析では、若者は都市部と非都市部の情報環境をいかに解釈し、「見られ方」をいかに予想しながら観光・レジャー情報を探索し発信しているのかに焦点を当てます。

この分析のために、筆者はネットアンケート調査とインタビュー調査を行いました（二〇一八年実施）。アンケートでは都市部と非都市部での観光・レジャーにおけるSNS利用を量的に把握し、インタビューでは、SNS上での影響力が強い若者を対象に、都市部と非都市部それぞれの観光・レジャーにおけるSNS利用の質的な側面の把握を試みました。

なお本章において「若者」とは、広く実態を把握する目的で、質的な定義づけにはあえて踏み込まず、「一六歳から三四歳の男女」と定義しています。「SNS」はツイッターとインスタグラムを具体的な対象とします。都市部と非都市部の区別は便宜的に、非都市部を「農村や自然地」を意味するとして質問時にアンケートサイトに表記し、その判断は調査対象者の主観に委ねています。

2　観光・レジャーにおける若者のSNS利用

回答者の概要

ここでは福井（二〇一八）もふまえつつ、アンケート回答者の概要を紹介していきます。回答者はツイッターのフォロワー数を影響力の指標とし、「フォロワー数〇人」「フォロワー数一～九九人」「フォロワー数一〇〇～九九九人」「フォロワー数一〇〇〇人以上」の四類型に分類しました。

表1は類型化の結果とアンケート回答者の概要を示してあります。ここではSNS上での影響力によるSNS利用の違いをより明瞭に観察するため、同じ「SNS利用者」を年齢で類型化したデータと比較していきます。

年齢別の類型では、一〇代後半は二六・四％、二〇代前半が二七・九％、二〇代後半が二三・八％、三〇代前半が二一・八％で、おおむね均等に類型化されました。一方、フォロワー数類型は均等に分かれていません。「フォロワー数〇人」は一五・九％で、「フォロワー数一～九九」と「フォロワー数一〇〇～九九九人」はそれぞれ四四・八％、三三・九％と両者で全体の八割弱を占めているのに対して、「フォロワー数一〇〇〇人以上」は五・五％（四九人）にとどまります。フォロワー数は多ければ多いほど、ネット上での影響力も強まります。ごく単純化していうと、フォロワー数十人と千人では影響力に百倍の差があり、「フォロワー数一〇〇〇人以上」の該当者は特に大きい影響力を持ちます。

職業と個人年収は、年齢別類型では当然ながら、年齢が上がるにつれて学生から有職者となり、個人年収も上がっていきます。一方フォロワー数別類型では、単純にフォロワー数が増えれば有職者や特定の年

表1　アンケート回答者の基本情報

	該当者		平均年齢	職業		個人年収		
				学生（高卒以上）	有職者	100万円未満	100～600万円未満	600万円以上
SNS 利用者全体	889	79.7%	24.2	26.2%（233）	32.6%（290）	44.0%（391）	30.5%（271）	3.0%（27）
年齢別								
15-19歳	235	26.4%	17.7	35.3%（83）	3.0%（7）	63.8%（150）	3.5%（8）	0.9%（2）
20-24歳	248	27.9%	21.8	56.0%（139）	24.2%（60）	51.6%（128）	22.5%（56）	1.2%（3）
25-29歳	212	23.8%	27.1	4.7%（10）	51.4%（109）	27.8%（59）	50.0%（106）	2.8%（6）
30-34歳	194	21.8%	32.0	0.5%（1）	58.8%（114）	27.8%（54）	52.1%（101）	8.2%（16）
フォロワー数別								
0人	141	15.9%	27.3	13.5%（19）	41.1%（58）	36.9%（52）	31.2%（44）	5.0%（7）
1-99人	398	44.8%	24.8	20.6%（82）	36.2%（144）	45.0%（179）	35.2%（140）	1.8%（7）
100-999人	301	33.9%	22.2	39.2%（118）	24.3%（73）	46.8%（141）	24.3%（73）	2.7%（8）
1,000人以上	49	5.5%	22.4	28.6%（14）	30.6%（15）	38.8%（19）	28.6%（14）	10.2%（5）

注）括弧内の数値は該当者数である。　　（アンケート調査により作成）

収層の該当率も高まるという傾向は見られません。つまりフォロワーの多い者は特定の年齢層や社会階層の単純な反映にはなりません。

こうした年齢別とフォロワー数別の類型間の違いは、普段のSNS利用の目的（表2）にも表れています。SNSを閲覧目的で利用する者は、年齢別類型ではいずれも五五％前後で、発信目的は三二・三％から一九・一％と若いほど選択率が高くなっています。他方でフォロワー別類型では、フォロワーが多いほど閲覧だけでなく発信も主目的とする傾向が見られます。特に「フォロワー数一〇〇〇人以上」は閲覧目的が二八・六％に対して発信目的は四九・〇％と、唯一、発信目的の方が高くなっています。また「コミュニケーション」「友人知人を増やす」「その他」

表2　日常的なSNS利用の目的

	SNS利用者全体（n=889）	年齢別				フォロワー数別			
		15-19歳（n=235）	20-24歳（n=248）	25-29歳（n=212）	30-34歳（n=194）	0人（n=141）	1-99人（n=398）	100-999人（n=301）	1,000人以上（n=49）
全体として									
閲覧が中心	54.8%	51.1%	54.4%	57.5%	56.7%	63.8%	64.1%	42.5%	28.6%
発信が中心	26.5%	32.3%	28.2%	25.0%	19.1%	10.6%	19.8%	39.2%	49.0%
コミュニケーション									
学校や職場の友人知人と	51.6%	61.7%	52.8%	49.5%	40.2%	46.1%	47.7%	58.8%	55.1%
ネットの友人知人と	36.2%	41.7%	39.5%	36.8%	24.7%	16.3%	30.9%	47.5%	67.3%
友人知人を増やす									
プライベートの友人知人を	25.2%	33.2%	27.0%	24.1%	14.4%	18.4%	20.1%	31.6%	46.9%
ネットの知人友人を	23.8%	33.2%	28.2%	17.5%	13.9%	10.6%	17.6%	33.6%	53.1%
その他									
ライフログ	46.6%	43.8%	52.0%	50.0%	39.2%	19.9%	45.0%	57.5%	69.4%
趣味や娯楽の情報収集	75.5%	80.0%	83.5%	70.8%	64.9%	51.8%	79.6%	80.7%	77.6%

注）ここで示す数値は，アンケート調査において「非常に当てはまる」「どちらかというと当てはまる」「どちらとも言えない」「どちらかというと当てはまらない」「全く当てはまらない」のうち、前者2項目を選択したものの割合である。そのため各項目の合計は100.0%にならない。　（アンケート調査により作成）

の各項目の選択率は、おおむね年齢とともに漸減する一方、フォロワー数とともに増加する傾向です。つまりフォロワーの多い者はより多様で高い目的意識を持ってSNSを利用していることが示されています。

　利用目的別に見ると、選択率が高いのは「趣味や娯楽の情報収集」で、選択率は年齢別類型を含めて「フォロワー数〇人」以外の各類型で六～八割程度です。ここには観光・レジャー関連の情報収集も含まれると考えられ、SNS利用の中心的な目的の一つといえます。

　友人知人との関わりに関する項目を見ると、学校や職場ないしプライベートの友人知人を増やしコミュニケーションを図る傾向が見られますが、ネットの友人知人を増やしたり彼女ら彼らとのコミュニケーションにSNSを用いたりする傾向は比較的弱いです。ただし「フォロワー数一〇〇〜九九九人」と「フォロワー数一〇〇〇人以上」は、ネットの友人知人とのコミュニケーションや友人を増やすことにもSNSを積極利用しています。つまりフォロワーの多い者たちはSNSを用いて、ネット上のものも含めた個人間の社会関係をより拡充しようとしています。

観光・レジャー情報の探索と発信におけるSNS利用

続いて、観光・レジャー情報の探索時にどのようなアカウントを参考にするのかを分析します(表3)。まず全体として、「自治体」と「観光協会」は、都市部でも非都市部でも、どの類型でも参考にされにくいことがわかります。「マスコミや芸能人」はSNS利用者全体で二割強にとどまるものの、フォロワーが多いほど都市部で参考にされています。

一方、最も参考にされやすいのは「企業や店舗」です。選択率はSNS利用者全体で、都市部では四一・七%、非都市部では三八・六%です。フォロワー数別類型では、特に都市部において、フォロワーが増えるほど参考にされる傾向が見られます。

「現実の友人知人」は「企業や店舗」に次いで参考にされていますが、「フォロワー数一〇〇〇人以上」を除くとどの類型でも都市部での選択率が高く、またフォロワーが多いほど割合が高いことがわかります。「フォロワー数一〇〇〇人以上」は都市部では三六・七%、非都市部では四〇・八%と、非都市部の方が高いです。一方「ネットの友人知人」を見ると、「フォロワー数一〇〇〜九九九人」と「フォロワー数一〇〇〇人以上」はより高く、それぞれ都市部で三八・九%、四二・九%を示しています。つまりフォ

表3　観光・レジャー情報の探索時に参考にするSNSアカウントの種類

a　都市部での観光・レジャー

	SNS利用者全体（n=889）	フォロワー数別			
		0人（n=141）	1-99人（n=398）	100-999人（n=301）	1,000人以上（n=49）
自治体	25.9%	24.1%	24.9%	28.6%	22.4%
観光協会	23.6%	23.4%	22.9%	25.2%	20.4%
企業や店舗	41.7%	35.5%	40.7%	46.8%	36.7%
マスコミや芸能人	23.4%	14.9%	20.6%	29.6%	32.7%
現実の友人知人	39.1%	26.2%	35.9%	49.8%	36.7%
ネットの友人知人	28.6%	17.7%	22.9%	38.9%	42.9%

b　非都市部での観光・レジャー

	SNS利用者全体（n=889）	フォロワー数別			
		0人（n=141）	1-99人（n=398）	100-999人（n=301）	1,000人以上（n=49）
自治体	27.6%	27.7%	27.6%	27.9%	24.5%
観光協会	26.5%	27.7%	26.6%	26.9%	20.4%
企業や店舗	38.6%	33.3%	36.4%	44.2%	36.7%
マスコミや芸能人	20.6%	13.5%	20.9%	23.9%	18.4%
現実の友人知人	34.6%	23.4%	31.2%	43.5%	40.8%
ネットの友人知人	22.7%	8.5%	18.8%	32.6%	34.7%

注）ここで示す数値は，アンケート調査において「よく参考にする」「たまに参考にする」「どちらともいえない」「あまり参考にしない」「ほとんど参考にしない」のうち，前者2項目を選択したものの割合である。そのため各項目の合計は100.0%にならない。

（アンケート調査により作成）

ロワーの多い者はネット上の社会関係をも重視しています。

以上の傾向をまとめると、①特に都市部での観光・レジャーにおいては、自治体や観光協会よりも、企業もしくは友人知人のアカウントが参考にされやすいこと、②そしてその傾向はフォロワーが多いほど強く、フォロワーの多い者はネット上のものも含めた個人的な社会関係において観光・レジャー情報がやりとりされていることがわかります。

つづいて発信の状況を表4から見ると、SNS利用者全体のうち、都市部では四五・一%が、非都市部では五〇・五%が「発信しない」を選択しまし

表4　SNSでの観光・レジャー情報の発信状況

a　都市部での観光・レジャー

	SNS利用者全体(n=889)	フォロワー数別			
		0人(n=141)	1-99人(n=398)	100-999人(n=301)	1,000人以上(n=49)
発信しない	45.1%	75.9%	50.3%	26.6%	28.6%
したい時だけ発信	33.2%	17.7%	37.4%	44.5%	38.8%
帰宅後に発信	15.7%	5.7%	10.8%	25.6%	24.5%
旅先や道中で発信	9.8%	2.8%	6.3%	15.9%	20.4%

b　非都市部での観光・レジャー

	SNS利用者全体(n=889)	フォロワー数別			
		0人(n=141)	1-99人(n=398)	100-999人(n=301)	1,000人以上(n=49)
発信しない	50.5%	78.7%	53.8%	35.5%	34.7%
したい時だけ発信	33.2%	17.0%	34.2%	38.9%	36.7%
帰宅後に発信	12.1%	3.5%	8.8%	19.9%	16.3%
旅先や道中で発信	8.7%	2.8%	5.8%	13.6%	18.4%

注）複数選択可であるため，各項目の合計は100.0%にならない。

（アンケート調査により作成）

た。つまり全体としては、五割前後の人々しか観光・レジャーにおけるSNS発信をしていないのです。また「発信しない」に次いで多いのは「したい時だけ発信」であり、都市部と非都市部いずれも三割強でした。さらにスマートフォンの携帯性を生かした「旅先や道中で発信」は、都市部でも非都市部でも一割弱にとどまります。

フォロワー数別に見ると、「発信しない」の選択率は、都市部と非都市部のいずれにおいても、「フォロワー数〇人」「フォロワー数一～九九人」では各八割弱、五割強である一方、「フォロワー数一〇〇～九九九人」「フォロワー数一〇〇〇人以上」では三割前後にとどまっています。フォロワー数の多い後者二類型では、都市部における「発信しない」の選択率が非都市部に比しておよそ九～六％低くなっています。また特に都市部における「旅先や道中で発信」「帰宅後に発信」の選択率が一五・九％か

表5　SNSで観光・レジャー情報を発信する際に重視する事柄

	SNS利用者全体（n=889）	フォロワー数別			
		0人（n=141）	1-99人（n=398）	100-999人（n=301）	1,000人以上（n=49）
場所の魅力を伝える	38.6%	23.4%	38.9%	44.2%	44.9%
その時の気持ちを伝える	44.3%	24.8%	46.0%	49.5%	55.1%
その場所への来訪者が増える	21.0%	12.1%	17.3%	27.6%	36.7%
自分の行動のアピール	35.3%	17.7%	33.4%	44.5%	44.9%
ライフログにする	49.6%	25.5%	53.0%	55.5%	55.1%
「like」やフォロワー数が増える	21.8%	12.1%	15.3%	32.2%	38.8%
「炎上」してもいいから過激な内容を発信する	6.7%	5.0%	4.5%	8.3%	20.4%
自分のアカウントの個性に合わせる	25.1%	9.9%	20.9%	35.5%	38.8%
誰もが注目しているものを発信する	20.8%	10.6%	16.6%	27.6%	42.9%
自分だけが注目しているものを発信する	21.4%	12.1%	18.3%	28.2%	30.6%

注）ここで示す数値は，アンケート調介において「非常に重視する」「どちらかといえば重視する」「どちらともいえない」「どちらかといえば重視しない」「全く重視しない」のうち，前者2項目を選択したものの割合である。そのため各項目の合計は100.0%にならない。
（アンケート調査により作成）

ら二五・六%と、SNS利用者全体と比較して高い数値です。

　つまりSNSを用いた観光・レジャー情報の発信は、SNS利用者全体で見ると、都市部と非都市部のいずれでも活発に行われているとはいえません。しかしフォロワー数別に見ると、フォロワーが多いほど、特に都市部での観光・レジャー活動を活発に発信しています。

　最後に、都市部と非都市部を問わず、観光・レジャーにおけるSNSでの発信時に重視する事柄を見ましょう（表5）。これまでの分析と同様に、SNS利用者全体ではまとまった傾向は読み取りにくいのですが、フォロワー数別にみると、いずれの項目もフォロワーが多いほど数値が高くなっています。フォロワーの多い者は観光・レジャーにおいて、より多様で強い目的意識を持って情報発信を行っていることがわかります。

　項目ごとに見ると、「場所の魅力を伝える」「その時の気持ちを伝える」が「フォロワー数一～九九人」以上の類型では三八・九%から五五・一%で、「その場所への来訪者が増える」も「フォロワー数一〇〇〇人以上」では三六・七%と、フォロワーの多い者を中心に、観光資源の魅力の共有というかたちで、ほかの観光者に影響しうる情報発信が認められます。

ただし留意すべき点として、『炎上』してもいいから過激な内容を発信する」の選択率は全体としては低いものの、「フォロワー数一〇〇〇人以上」のみ二〇・四%と突出して高くなっています。フォロワーが多いゆえに悪い意味でも自身の閲覧者を過度に意識した情報発信を行いやすい側面も認められます。

また「誰もが注目しているものを発信する」と「自分だけが注目しているものを発信する」を比べると、「フォロワー数〇人」から「フォロワー数一〇〇〜九九九人」は後者の数値の方がやや高く、これは新しい観光資源を発掘し発信しようとする意識とも解釈できます。しかしながら「フォロワー数一〇〇〇人以上」だけは前者のほうが高く、より一般に受け入れられやすい事柄も戦略的に発信しようとしている可能性もあります。

これらの一方で、「フォロワー数〇人」を除く各類型では「ライフログにする」や、「自分の行動のアピール」の数値も高くなっています。つまり総合的に見ると、フォロワーという「他者」の視線を多分に意識しつつ、多様な目的を並行して達成しようとする、若者の複雑なSNS利用をうかがうことができます。

3　インフルエンサーの観光・レジャーSNS利用と情報環境

前節でわかったことは次の二点です。①観光・レジャーにおけるSNS利用は特にSNS上での影響力の強い者を中心に実施されやすいこと、②彼ら彼女らは観光・レジャー情報をネット上のものも含む個人的な社会関係の中で、自身のSNSアカウントの閲覧者からの「見られ方」を意識しながらやりとりしていることです。

では、若者の中でもSNS上で影響力の強い者たちは、都市部と非都市部の情報環境がいかに異なると考えながらSNSを利用しているのでしょうか。ここではインフルエンサーへのインタビュー調査に基づき、都市部と非都市部で彼女ら彼らの情報の探索や発信を促進ないし阻害する要素を分析し、観光・レジャーにおけるSNS利用の質的な側面を検討します。

論点は次の二点です。第一には、都市部と非都市部での観光資源と観光情報の量的な差を、インフルエンサーたちはいかに認識し対処するのかという点、第二には、彼ら彼女らは他者からの「見られ方」をいかに予想しながらSNSを利用し、それが都市部と非都市部でいかに異なりうるのかという点です。

観光・レジャー情報の探索と発信におけるSNS利用

第一の論点は、都市部と非都市部での、観光資源と観光情報の量的な差への認識と対処です。

この点について、たとえばA氏（三〇代男性）は、発信時に情報量に留意する見解を示しています。

「（自分がSNSで発信するときは、発信内容に）興味ある人に届いてほしい。都市部は情報が飽和してる。（自身が発信した情報が閲覧者に選ばれるために）情報に指針がないとだから、リアル性が重要。（ネット上は）情報がとっちらかっている。地方だとそれが反転する。地方はおもしろいものがあるのに、すくい上げられていない。こういうおもしろいのあるよ、みたいな使い方（を自分はしている）」（丸括弧内は筆者による補足。以下同様）

非都市部が「地方」と表現されていますが、都市部か否かでネット上の情報量に差があることを、思考の前提としています。そして自身のアカウントの「見られ方」を意識しながら、都市部では観光情報の選別、非都市部では発掘というかたちで、情報発信を意識的に使い分けています。

選別と発掘の空間的な使い分けは、情報探索時にも重要視されています。

「こっち（東京・都市部）は情報量が多い割に、流れるのが速い。自分の興味あるものを追うので精一杯。地方に行くときは、東京だと追わないもの（情報）でも、自分の足で追うな」（A氏）

つまり都市部と非都市部では、情報の量だけでなく更新速度の差があると考えています。そしてそれに対応するかたちで、都市部では選別、非都市部では発掘という、SNSの利用に関する態度の差が見られます。

ネット上に無数にある観光・レジャー情報の中から、自身や閲覧者にとって価値あるものをいかに選別するかは、特にSNS上での影響力が強く、ネット上の情報流通の特性や情報の価値に自覚的な彼女ら彼らにとって優先的な課題だといえるでしょう。

「(観光・レジャー情報を探索する際には)自分にしっくりくるものを知るために、信頼できる人の情報にあたる。マス(マスコミの情報)じゃダメ。本は(記載されている情報が)古いしダサい。ブログみたいなやつも書いてる人が検索のことしか考えてないから定番しか情報がなくてダサい」(B氏・二〇代女性)

「知らない駅でごはん屋さん探すなら『〇〇〇』さん(影響力のあるネットの友人)みたいな、キーパーソンみたいな人を見てる。幅広くは見てない。人柄を知ってるかが大切」(A氏)

B氏の意味は、ネット上のブログメディアは、記事を通して得られるアフィリエイト広告収入を増やすために、検索サイトで上位に掲載されやすい「定番」の情報ばかり掲載しているので凡庸だという見解です。そして情報選別を行う際に有力なフィルターとして採用されているのが、「信頼できる人」「人柄を知っている人」を生み出す、SNS上での社会関係です。これらの証言は、SNSが持つ、社会関係を拡充し活用させるという特性を効果的に活用している一例といえるでしょう。

さらに、彼ら彼女らの社会関係はSNS上だけで完結しません。以下の証言のように「人柄を知っている人」「信頼できる人」を抽出する上で、対面接触、つまり実際に同じ地域や場所で身体的に出会うことが重要な方法の一つとして位置づけられています。

「家でイベントとかしたときに、違うコミュニティの人がつながるのがおもしろい。地方はフェイスブック文化というか、実名文化。（非実名文化の自分たちとは）ちょっと違う」（C氏・二〇代男性）

C氏は、SNSで拡充した非実名での社会関係を、対面接触によってさらに拡充し有効活用しようとしていますが、これは、実名に基づく社会関係すなわち「実名文化」にとらわれない、より開放的な社会関係を構築しやすいという考え方に依拠するものです。若者の中でもSNS上での影響力の強い者が、SNS上の社会関係を、都市部における豊富な対面接触機会で拡充し、それを都市部における飽和した観光・レジャー情報の選別に有効活用している例ということができます。

「見られ方」の意識

第二の論点は、都市部と非都市部における他者からの「見られ方」の意識差でした。

「地方（非都市部への観光）は行《い》ったということが大切。せっかく行ったことを『承認欲求』に変えたい。銭湯も温泉もやることは同じだけど、温泉に行くなら湯けむりとか入れて『湯けむり行きました』をツイートするだけでそれができる。『コスパ』としては地方の方が（SNSの存在は）うれしい」（D氏・二〇代女性）

こう述べたD氏にとって、空間的にアクセス性の低い非都市部での観光・レジャーでは、その時間的・金銭的コストに見合った対価をより多く得たいという「コスパ」すなわちコストパフォーマンスの意識が働くということです。東京大都市圏の若者にとって、非都市部への観光・レジャーは機会が少なく、コストもかかります。その対価の獲得方法として、自身の観光・レジャー活動をSNSで発信し、それを他者に「見られる」ことによって「承認欲求」を満たす、つまり満足感を高めることで、「コスパ」が良くなると考えているのです。

「地方は限られた人としか行かない。本当はみんなと（現地での体験や気持ちを）分かち合いたかった」（D氏）

都市部での観光・レジャーは多様な同行者が確保しやすいけれども、コストのかかる非都市部では同行者が限定的になりやすくなります。それゆえ、より多様な人々、すなわち自身のSNSアカウントの閲覧者と、体験や気持ちを共有したいという意識です。つまりD氏にとって非都市部は、自身が「見られる」ことをより積極的に望む空間として捉えられています。

他方で、都市部は異なる空間として位置づけられています。

「たとえば渋谷はみんな分かち合えるから手軽。でも渋谷とかは人間の未踏の地が、『SNS未踏の地』がない。『インスタ映えじゃん（笑）』みたいに、自分で自分を嘲笑する（からあまり発信しない）」（D氏）

SNS上での影響力が強く、そのことに自覚的なD氏や、その閲覧者にとって「インスタ映え」するような安易な観光情報発信は魅力的ではないという矛盾がここでは看取されます。

先に論じたように場所や地域に関するネット上の情報量は、非都市部よりも都市部のものの方が一般に多くなっています。しかしD氏のような若者たちは、渋谷のような都市部の消費地では場所の情報も消費されやすいので活発に発信されていると考えます。そしてそうであるがゆえに、そうした場所の情報は陳腐であると彼女は考えるのです。つまり情報が多く活発に流通する都市部の情報環境が、逆説的に自身の観光情報発信を阻害する要素として作用しているのです。これは先のB氏が「マスな情報」を「ダサい」とみた評価が、空間性を持った例といえるでしょう。

他者の視線を意識すると、場所や地域の情報が多いことは必ずしも発信者にとってポジティブに評価できるとは限らないのです。バウマン・ライアン（二〇一三）や鈴木（二〇一三）がいう個人間の社会的相互監視が、都市部の情報環境を背後に表出しているのだといえるでしょう。すなわち都市部は、「見られたいように見られているかどうか不安」という状況が、より端的に現れる空間として位置づけられています。

4　東京大都市圏における観光・レジャーとインフルエンサー

ここまでの検討を踏まえると、東京大都市圏の若者が、都市部と非都市部での観光・レジャーにおける情報の探索と発信においてSNSをいかに利用しているのかは、特にSNS上で影響力の強い者たちの思考に着目すると、つぎのように説明することができます。

非都市部では、観光・レジャー資源の相対的な少なさや空間的なアクセス性の低さから観光情報の蓄積量や流通量が比較的少ないと認識されています。それゆえ非都市部での観光・レジャーにおいてSNSは、流通量の少ない非都市部特有の観光・レジャー情報を発掘し発信する手段として利用されやすくなっています。

観光庁の調査によれば、若者は観光・レジャーにかける経済的余裕のなさを感じています（観光庁観光地域振興部観光資源課、二〇一四）。東京大都市圏の若者にとっては、例外はあるでしょうが、観光・レジャーの実施に交通費が多額になりやすい非都市部では、都市部ほど手軽には観光・レジャーを実施しにくくなります。それゆえ観光・レジャー情報を発信し他者に「見られる」という体験を加えることで、自身の観光・レジャー体験をより上質化する手段としても利用されているといえます。いわば「コスパ」を高めるツールとしてSNSを位置づけることができるのです。

一方で都市部は観光・レジャー資源が多く存在し、またそれらへの空間的なアクセス性にも比較的恵まれます。観光・レジャー情報はより手軽に発信され、結果としてネット上に多く蓄積されます。しかしそれゆえ、特にSNS上で影響力が強い者は、安易な情報発信は自身や他者にとって凡庸であり、魅力的に映りにくいと考えます。それを避け、より魅力的な観光・レジャー情報を発掘する選別のフィルターとして、SNS上に構築した社会関係が有効に使われています。

これらを踏まえると、インフルエンサーたちにとって、観光・レジャーにおけるSNS利用は、非都市部では自身が他者に「見られる」ことによる、体験の「共有」の手段としての側面があります。一方都市部での観光・レジャーにおけるSNS利用は、自身が他者から「見られたいように見られているかどうか」という他者からの社会的評価へ一層に配慮せざるを得ない局面でもあります。このようにして、観光・レジャーにおいて若者たちはSNSを、都市部と非都市部の観光資源分布や情報流通の量的ないし質的な差を勘案し、自身への他者評価を各々のSNS上での影響力に基づいて予測することで、都市部と非都市部とで量的にも質的にも複雑に使い分けていると結論づけられます。

地理学では、ICTを用いて蓄積される情報の空間的偏在が認められ、特に都市部の情報が集中的に蓄積されるため、ICTは機会獲得の空間的不平等を深刻化すると考えられてきました。本研究で見たSNSを介した観光・レジャーの情報流通からも、都市部と非都市部の情報の量的格差の存在は支持できます。しかしながら他者評価とその地域差という視点を導入した結果、観光・レジャーにおいて、都市部の情報蓄積の豊富さや流通スピードの速さは若者にとって必ずしも良好な情報環境として評価されるとはいえず、他方で非都市部の情報の少なさも劣悪なものと一概に評価されているわけではありませんでした。

観光・レジャーにおけるインフルエンサーのSNS利用は、地域の情報環境や、その基底にある社会構造や地理的環境を完全には克服できず、むしろ彼女ら彼らはそれらの地域差を考慮しながらSNSを利用しています。このように本章の分析は、若者が認識する観光・レジャーの情報環境や情報流通の空間性の質的な複雑さを示しています。

5　まとめ――「SNS映え」を超克する若者たちの空間戦略

本章では東京大都市圏に居住する若者を対象に、都市部と非都市部の情報環境の差とネット上での影響力の個人差に着目し、観光・レジャーにおけるSNSを介した情報探索・発信がどのように行われているのかを検討してきました。とりわけインフルエンサーの思考と行動の空間性を強調し、彼ら彼女らがどのような若者で、どのような空間を、どのような情報環境にあると認識してSNSを利用しているのかという問題に、一つの解を示すことができました。インフルエンサーたちは、SNSで個人的な社会関係を拡充し活用して、都市部と非都市部それぞれの情報環境を勘案しながら観光・レジャーの情報を発掘し、その情報を、ときに自身の観光・レジャー体験に対する他者評価への期待を織り交ぜながら発信していました。

なおこのことは、観光対象としての潜在的な価値を保有しつつも情報発信力に乏しかった観光地や観光資源、あるいは観光資源と見做されなかった諸資源の価値が、SNSを介して若者たちに発見され増大される蓋然性が高まっていることを示唆しています。地域の伝統的な内部構造や諸文脈に基づく価値が、一部の若者の新しい視線によって社会的に再発見されているのです。

とはいえ、そうした若者たちの視線を観光地の諸主体が表面的な観光情報流通によってコントロールすることは容易ではないでしょう。影響力を持つ若者たちは安易な「SNS映え」の凡庸さを鋭く見抜き忌避する厳しい批評眼も持っています。個々の地域の文脈を尊重した観光発展の在り方が、彼女ら彼らから正しく評価されうると考えるべきです。

本章の分析は、社会学で盛んに論じられている、SNSの利用拡大をめぐるある種の相互監視社会化が、都市部の観光・レジャーの局面において明瞭に表出することを示しています。ネット利用のさらなる拡大を背景に、個人が既存のマスメディアにとらわれず、より「自由」に観光・レジャー情報を探索し発信できるようになった今日の情報環境は、ある空間においては逆説的に、他者に「見られる」視線による他者評価というかたちをとった「監視」として個人の「自由」な観光・レジャー行動を制御している面が認められます。本稿で見た若者たちによる、個々の空間の情報環境や観光・レジャー資源の社会的価値を鋭敏に批評し、ＳＮＳを複雑に使い分ける先鋭的な行為は、若者たちが単純な「ＳＮＳ映え」を超克し、個人間の相互監視社会で「自由」に観光・レジャーを楽しむための、したたかな「戦略」といえるかもしれません。

第五章　ＩＴベンチャーの東京一極集中と情報技術者たちの「自由」

本章と次章では、自由を求める情報技術者たちの地域的な営みを分析していきます。ＩＴ産業の立地は東京一極集中傾向を示しますが、そこで働く情報技術者たちは東京に存在する自由な領域、つまり「情報技術者コミュニティ」に惹きつけられています。では情報技術者コミュニティとは何なのでしょうか。また、地方圏ではそうしたコミュニティは成立するのでしょうか。

本章ではまず、「自由の営み」が行われる場としての情報技術者コミュニティが、そもそもどのようなもので、どのような存在意義があるのかを検討します。

1　ＩＴベンチャーを成長させる自由なコミュニティ

ベンチャー企業を成長させる自由な地域

かつて経済学者のヨーゼフ・シュンペーターは、経済を発展させる根本要因は、新たな事業の創造と成長にともなう既存の経済システムの漸進的な破壊という、いわゆる「創造的破壊」だと看破しました（シュムペーター、一九七七（Schumpeter, 1926)）。彼の影響を受けた経営学者のピーター・ドラッカー（Drucker,

1985）や経済学者のウィリアム・ボーモルら（Baumol, Litan, and Schramm, 2007）は、今日の先進各国の経済停滞を大企業主導の経済システムの限界と考え、先進国には、イノベーションを先駆的に形成できる、若く活動的なベンチャー企業が主導する経済システムへの移行が求められていると主張しています。

ベンチャー企業が著しく発達している地域として、アメリカのシリコンバレーを挙げることができます。シリコンバレーの革新性は羨望の的であり、解き明かすべき謎とされてきました。それはシリコンバレーのように自由な発想のもとで革新的な新興企業群を生み出し成長させる地域はいかにすれば作れるのかという、羨望と謎です。

地理学者のアナリー・サクセニアンが指摘したように、その鍵はシリコンバレーの地域的な文化にあると考えられています。同地の革新性の源泉は「リスクの文化」、すなわち事業の失敗を羨みさえする、挑戦と失敗を肯定的に捉え自由を尊重する慣行や価値観にあり、その文化が、地域内における情報技術者を中心とした私的な社会関係において地域的に共有されたことこそ、シリコンバレーを発展させた地域的要因であるとされています（Saxenian, 1994, 2007）。

こうしたリスクの文化はシリコンバレー内にとどまりません。シリコンバレーで働いた台湾やインドの情報技術者が、その文化を母国に持ち込み波及させたことで、台湾の新竹地域のようなＩＴベンチャー集積地が形成されています（Saxenian, 2007）。日本でも例えば東京の渋谷のように、先端的な情報技術者が好む、シリコンバレーのように自由な「場所の空気」が存在し、それが優れた人材や企業を渋谷に惹きつける、地域の魅力になっているという議論もあります（川端、二〇一三）。

では、そうした、自由を尊重するとされる「文化」や「空気」といった曖昧な言葉で表現されるそれは、どのような実体を持ち、なぜベンチャー企業の発達を地域的に促進するのでしょうか。そしてその自由を尊重する営みは、地域の地理的環境といかに関係しながら、いかに地域的に行われ、ベンチャー企業を成長させるのでしょうか。

この問題は従来、「起業家精神（Entrepreneurship）」はいかなるメカニズムで発揮されるか、という枠組みで論じられてきました。しかしこうした研究は、企業の発生と成長を起業者自身の「精神」や性格に求める方向に進みました。それは地域の発展要因を個人の内面に究極化する枠組みであり、発展性に乏しいと否定的に評価され、現在では企業をめぐり個人をとりまく社会の構造や在り方を論ずる枠組みが支持されています（Aoyama, Murphy and Hansom, 2011）。

そうした観点のもと、地理学ではベンチャー企業の創出、誘引、成長を促進する地域的な要因や機構の解明が課題の一つとされ、そこでは、都市や集積において、熟練労働者や技術や知識や資本といった、ベンチャー企業の成立と成長に必要な「資源の獲得経路」がいかに存在するかが問題とされてきました（Malecki, 1997, Nijkamp, 2003）。またベンチャー企業を持続的に成長させる地域には、「起業」だけでなく、その後の「存続」の過程をも支援する資源の獲得経路が必要であることも提言されています（Nijkamp, 2003）。そしてそこで重視されてきたのは、ベンチャー企業の地域的発展につながるのは、ベンチャー企業が顧客や業者、投資家や投資企業との間に有用な取引関係を結ぶことだという考え方でした（Zook, 2004）。しかしこうした議論は、ベンチャー企業が成立し発展する要因は説明できますが、そもそうした取引関係を、経営資源に乏しいベンチャー企業が、なぜ、いかに構築できるのかという問題には、十分な答えを出すことができません。

経営資源に乏しいベンチャー企業が頼りにするのは、経営者や労働者が有する個人的な社会関係です。起業家自身の社会関係は資源の獲得経路になり、それがベンチャー企業の立地選択や集積形成を主導することが知られています（Stem, 2007）。また、政府機関による公的制度よりも個人間の私的関係のような「非公的制度」が充実している地域の方が、ベンチャー企業の創出と成長を促進するという議論もあります（Flora et al., 1997）。シリコンバレーにおける「リスクの文化」も、こうした非公的制度によって作られたものであると同時に、それ自体が非公的制度の一つであると考えられます。

またAoyama（2009）は、日本の京都と浜松のベンチャー企業を比較し、地域の既存企業が長期的に形成してきた閉鎖的な商習慣が残る京都と比べて、「よそ者（outsider）」に対して開放的な地域文化を持つ浜松においてベンチャー企業がより成長していると指摘しています。このことは、ベンチャー企業の創出と成長は、より開放的な地域において促進されることを示すと同時に、固定的で閉鎖的な地域ではベンチャー企業の創出と成長が阻害されることを示唆しています。つまり、ＩＴベンチャーをめぐる人々の「個人的な社会関係」にＩＴベンチャーの発展要因の全てを帰するのではなく、その構築を促進する地域的な環境や営みを理解する必要があります。

以上をまとめると、経営資源に乏しいベンチャー企業は、社外に存在する何らかの資源をも積極的に活用する必要があるため、それを可能にする個人間の非公的関係を構築し発展させる、地域的な「開放性」の確立がベンチャー企業の地域的成長の鍵になるということができます。

ただし、その「開放性」の在り方には地域差があり、海外と日本で、大都市と地方とで異なるといえます。また日本は、そもそも起業が盛んな国ではありません。日本の起業活動率は主要国の中でもイタリアと並ぶ最低クラスに位置します。その理由は様々に説明されていますが、例えばAoyama（2013）は、日本の経済システムが未だに製造業を中心とする大企業主導型であるために、ベンチャー企業を創出し成長させる経済的環境が薄弱であることを指摘しています。またボーモルら（Baumol, Litan, and Schramm, 2007）

は、日本では終身雇用制と年功序列制が根強く残っていることが、人々に起業やベンチャー企業へ就職することに利点を見出しにくくしていると主張しています。

その一方、日本ではベンチャー企業を支援する公的制度は整備されており、枚挙にいとまがありません。つまり日本のベンチャー企業を取り巻く状況は、公的制度はある程度は充実していますが、ベンチャー企業の成長を促進するような価値観や慣習といった非公的制度の発達は途上段階にあるといえます。

情報技術者たちの「自由」なコミュニティ

ＩＴベンチャーは、ベンチャー企業に関する地理学的研究の主な対象とされてきました。そしてＩＴベンチャーの成立において根本的に重要な人材が、プログラミング能力を持ちエンジニアやプログラマーと呼ばれる、情報技術者です。

情報技術者たちの特徴として、従来の一般的な日本の労働者と比較して、特定の勤務先の企業に縛られない働き方を志向することが挙げられます。転職やフリーランスになること、起業することは彼ら彼女らにとって比較的身近な行為です。それゆえ情報技術者たちは、所属する企業や組織を超えて情報技術者どうしの社会関係を構築します。彼女ら彼らは、様々な企業や組織から参加者が集まる「勉強会」や「技術者会議」といった対面接触の場を、上司に言われるでもなく自発的に設け、そこでプログラミング等の技術的活動や、技術的テーマに関する講演活動や人的交流を行うことが知られています（Raymond, 1999, Himanen et al., 2001, Castells, 2001）。そしてこうした活動の場は「情報技術者コミュニティ」と呼ばれています。

情報技術者にとってコミュニティは、自らの知識や技術の水準を高める場です。ITベンチャーやプログラミングをめぐる環境は変化が激しいので、情報技術者は常に最新の知識や情報を得ることによって、自身の知識や技術の水準を高めることを追求しているのです。

こうした技術者コミュニティは、技術者たちも自身からも慣例的に「コミュニティ」と呼ばれています。しかし学術的な概念としては、コミュニティであると同時にネットワークでもあります。

ネットワークという言葉は一般に広く使われていますが、分析の視点としての意味と、社会関係のあり方としての意味との、二通りの意味があります。前者については、社会学者のマーク・グラノベッターが指摘した「弱い紐帯の強さ」(Granovetter, 1973) のように、ある事象が起こりやすい条件を社会関係の構造や社会関係のなかでの主体の位置から理解しようとするパースペクティブを意味します。例えばイノベーションの発生は、より開放的な構造をもつ社会関係や、社会関係の内部でハブ(中心的な中継地点)の位置にある主体において多く確認できることが知られています。近年の地理学では、産業の立地メカニズムを、ネットワークを介した知識のフローの構造から把握しようとするアプローチが進んでいます (Bethelt et al., 2004)。

一方後者は、柔軟で流動的な社会関係のあり方それ自体をネットワークと呼ぶものです。こうしたネットワーク概念について、社会学者のアンソニー・ギデンズらは、「相対的にゆるやかな社会紐帯やつながりによって結ばれた人々の集団」と定義しています (ギデンズ・サットン、二〇一八 (Giddens and Sutton, 2017))。マニュエル・カステルは、従来一般的に見られた固定的で階層的な官僚的組織形態が、ネットワークが持つ柔軟性や変化への適応性によって崩れつつあり、場所や時間にとらわれない自由な人間生活の在り方をもたらしつつあると、高く評価しています (Castells, 2009)。

ここでの分析で重要となるのは後者の意味です。つまり、ベンチャー企業を成長させる自由で開放的な地域を構築するという意味では、固定的で階層的な社会関係ではなく、水平的で緩やかなネットワーク型の社会関係からなる集団や組織を形成することが有効だと考えられます。そして情報技術者コミュニティは、個々の技術者たちが主体的に組織の垣根を超えて関係し合う場なので、ネットワーク型の集団・組織としての性質を持っています。

ただし、ある集団や組織をネットワーク概念で把握すると、見えにくくなる側面もあります。ネットワークは集団・組織の「かたち」に着目する視点であるがゆえに、ネットワーク型の開放的な社会関係がなぜ、どのように形成され、その関係が何を目指すのかということを理解するのには必ずしも向いていません。集団や組織が形成されるメカニズムや、その原動力や制御力となる規範や指向性を把握するのには、コミュニティの視点が有効です。

コミュニティ概念には様々な定義がありますが、その本来的で基本的な含意は、①一定範囲内での人々の定住という地域性、②生活上の何らかの相互連関を通して日常的な生活要求が充足されるという共同性から成ると考えられています。しかしこれらは人々の生活のほとんどが特定の地域内で完結するような古い社会を前提としています。都市社会や交通が発展した今日ではこうした地域性と共同性を両軸とするコミュニティ概念は説得力が弱くなっています。それゆえ、より抽象的に、③集団での生活の維持や向上という共通目標に向かって活動を展開させようとすることをコミュニティの本質とする考え方もあります(中村、一九七三、松原、一九七八)。

ここで③に見られる、自らのために集団内で共通の目標を設定しそれを達成しようとする営為は、集団や組織が生起し発展していく原動力となる指向性や規範という要素を包含しています。情報技術者コミュニティは、変化の激しいＩＴベンチャー業界において、みずからの情報技術者としての生活を維持し向上していこうという指向性や、そのために知識や技術を研鑽せねばならないという規範から形成されるものといえるでしょう。コミュニティ概念は、こうした情報技術者コミュニティが成立し発展する動態を理解するのに役立つ視点になりえます。

したがってネットワークとコミュニティという双方の視点を用いることで、情報技術者コミュニティという、主体間が水平的で緩やかな社会関係を構築する、ネットワーク型の開放的な集団・組織がなぜ、いかに形成されるのかという問題を、情報技術者たちが、いかなる状況と価値観に基づいて、いかなる規範や指向性をいかに共有し達成しようとしたのか、という観点から解くことができると考えられます。

情報技術者をめぐる状況と価値観

情報技術者をめぐる状況はＩＴベンチャーの産業特性から影響を受けますが、その特性のキーワードは「不確実性の高さ」です。

ＩＴベンチャーが生産する商品は、ソフトウェアというデータやそれを提供するサービスであり、物理的な形がありません。それゆえＩＴベンチャーは、形のある商品、つまり有形財を生産する工業のように多額の生産設備投資は必ずしも求められません（もちろん、自前のデータセンタのように、多額の設備投資が必要な企業もあります）。このためＩＴベンチャーは比較的少額で起業することもできますが、生産設備投資が少額でもよいということは、競合他社から次々に優れた商品が市場に投入され、絶え間ない研究開発と商品の価値向上が求められることも意味します。

それゆえＩＴベンチャーでは常に開発を続けるための優秀な人材の獲得と育成が最大の課題となります

が、それは、大企業と比較して資金に余裕のないＩＴベンチャーにとって困難であるというパラドクスも生じます。ＩＴベンチャーは業界の変化が激しく、先が読めず、かつ少ない経営資源でそれに追随することが求められるという意味で、企業の将来の不確実性が高いといえます。

また、そこで働く情報技術者の側から見ると、ＩＴベンチャーでは日本の従来的な企業組織でよく見られてきた年功序列制や終身雇用制は成立しにくく、雇用の流動性が高いため、従業者は一般的に成果主義で評価されやすくなります。そういう意味でも不確実性が高いのですが、それゆえＩＴベンチャーの従業者には転職を前提に業務時間外でも自分の知識や技術を継続的に研鑽する必要性と有効性が一層に大きくなります。実際に経済産業省の調査でも、ベンチャー企業の従業者は大企業以上の金銭的利益を得にくいため、金銭以上に自らの自己実現やキャリアパスとして有効なスキル形成など、非金銭的な利益を求めていることが分かっています（経済産業省経済産業政策局、二〇〇八）。

このようにＩＴベンチャー業界は労働市場が流動的であるため、情報技術者にとっては自身を雇用している社内での評価も、必ずしも既存産業ほど重要とならないことがあります。むしろ情報技術者は転職や将来の独立を見越して、コミュニティのような、より広い社会関係のなかで高い評価を得ることもより重要になります。それは情報技術者にとっては、不確実性の高いＩＴベンチャー業界において労働者としての自らの価値を守り高める戦略の一つです。それゆえ情報技術者にとってコミュニティは、雇用先の組織内とはまた別の、自らが主体的に関与し改変できる、自由な活動（つまり、ある種の積極的自由の行使です）が可能なもう一つの領域であることも意味します。

そして企業側にも、自らが業界の変化に追随するために、またそれを可能とする人材を確保するために、従業者たちのこうした行為を容認し促進すること（つまり、消極的自由の拡大）も求められます。そして情報技術者が知識や技術を継続的に研鑽するには、そのための非経済的な原動力、つまりモチベーションが必要になります。

哲学者のペッカ・ヒマネンらはこうした、情報技術者が希求し獲得する、知識と技術水準の向上や情報技術者コミュニティへの主体的な関与、それによるモチベーションや社会的評価の獲得といった利益を、金銭などの経済的インセンティブに対して「非経済的インセンティブ」と呼び、それを求めることは情報技術者にとっての主要な行動原理であると強調しています（Himanen et al., 2001, Tovalds and Diamond, 2001）。カステルとヒマネンは、今日の企業の競争力を生み出す要素として最も重要なのは、知識や技術を自主的に学習できる労働力の存在であると強調しています（Castells and Himanen, 2002）。情報技術者がみずからそうした研鑽を積みコミュニティに貢献するのは、それ自体が技術者にとって楽しみである、つまり非経済的インセンティブとしての意味を持つからだと理解できます。

かつてカステルが指摘したように、ＩＣＴの普及はそれ自体が、人々にそれを活用して新たな活動を生み出そうとする起業家精神を創起させる側面があります（Castells, 1989）。それゆえにカステルは、情報技術者は新たな活動を創出するための、資源の開放と共有を善とする価値観を持っているとも指摘しています（Castells, 2001）。情報技術者たちが非経済的インセンティブを希求するのはこうした、従来は各組織内で保有され秘匿されてきた諸資源を開放することを求める「自由」な価値観を持っているからだとも説明できるでしょう。

以上に見てきたように、ＩＴベンチャーを成長させる自由で開放的な地域を形成する鍵は、情報技術者がコミュニティを介在して、非経済的インセンティブを重要視する価値観を共有できるネットワーク型の社会関係を構築することや、それによって生み出される何らかの利益の存在にあると考えられます。

ただし、ここまで情報技術者コミュニティを、その社会集団としての特性やＩＴベンチャーの経営的・経済的側面から検討してきましたが、地理学的に考えると、ＩＴベンチャーや情報技術者、そしてコミュニティをめぐる状況には地域差があるはずです。情報技術者が自由にコミュニティを形成する営みは、それが行われる地域の特性に合わせたものであることが望まれます。そしてそれは、ＩＴベンチャーや情報技術者コミュニティの空間的な分布や立地の地域差から影響をうけます。

2　日本のＩＴ産業の東京一極集中と情報技術者コミュニティ

ＩＴ産業の東京一極集中

ベンチャーに限らず、ＩＴ産業の立地は「東京一極集中」傾向を示します。ここでは統計データを用いてその傾向を見ていきます。なお、「ＩＴ産業」を統計的に定義することは難しいです（見方によっては、いまやあらゆる産業が「ＩＴ産業」であると言われてしまうかもしれません）。なので、ここでのデータは、場合によっては実態とのズレがあるかもしれない点には留意が必要です。

図１は、経済センサスと特定サービス産業実態調査のデータを元にして、各都道府県におけるＩＴ産業の事業所数と売上高を示したものです。このデータでは二〇〇九年時点で、全国で四万四四八三のＩＴ産業の事業所を確認することができます。

その三二・四％の事業所が東京都に立地しているなど、事業所が首都圏に集中していることがわかります。東京都に続くのは大阪府ですが、全国比で一〇・四％と、東京都の数値とは大きな開きがあります。

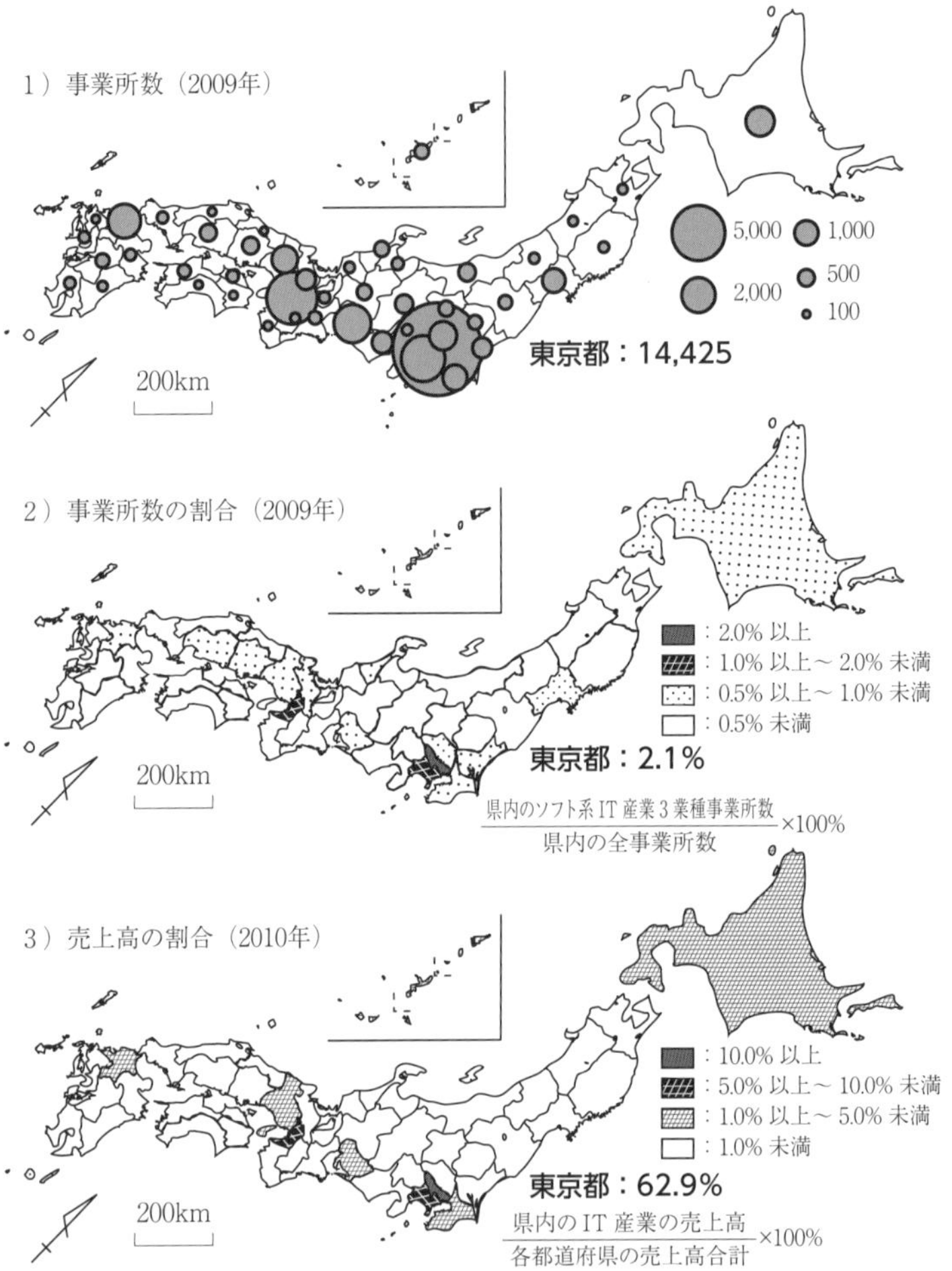

図１　各都道府県における IT 産業の事業所数と売上高

（1）および 2）は経済センサス基礎調査（2009年度）および情報統計白書（2011年度）より作成。3）は特定サービス産業実態調査（2010年）により作成）

以下、事業所数の多い県は、神奈川県（七・七％）、愛知県（五・七％）、福岡県（四・三％）と続き、ここまでの上位五位で日本全体の六〇・五％を占めています。ＩＴ産業の立地は、地方圏よりも大都市圏に、大都市圏のなかでも東京大都市圏に、そのなかでも東京都にと、重層的な集中傾向を示しています。

また各都道府県内の全事業所数に占めるＩＴ産業事業所数の割合は、東京都、神奈川県、大阪府ではそれぞれ一～二％です。しかしそれ以外の各県におけるＩＴ産業の事業所数割合はいずれも一％未満になっています。つまり、地域経済においてＩＴ産業が一定の位置を占めている地域は、これらごく一部の大都市圏の地域に限定されています。

さらに日本のＩＴ産業全体の売上高に占める都道府県別の売上高の割合を見ると、これは各企業内での会計処理上の問題という側面もあるので参考程度のデータになりますが、東京都が六二・七％を占めており圧倒的です。続く二位・三位の大阪府と愛知県の割合は八・三％、七・七％で、事業所数以上の東京一極集中傾向です。それらに続くのは、神奈川県（七・七％）、愛知県（四・六％）、福岡県（二・六％）、北海道（一・七％）、兵庫県（一・二％）千葉県（一・二％）です。売上比率が一％を超えるのはこの上位八都道府県のみですが、これらの地域だけで日本の売上全体の八九・八％を占めています。

ＩＴ産業の市場環境の地域差

こうしたＩＴ産業の事業所と売上高の大都市圏および東京都への集中傾向とともに、ＩＴ産業の市場環境の地域差も注目されます。ＩＴ産業に対する需要は、それ自体が地理的に偏在しています。図2は、各都道府県のＩＴ産業の域内需要と域内生産額が、全国のＩＴ産業需要と生産額に対して、それぞれ何割を占めるのかをまとめたものです。まず需要側をみると、東京都における需要が日本のＩＴ産業全体の四

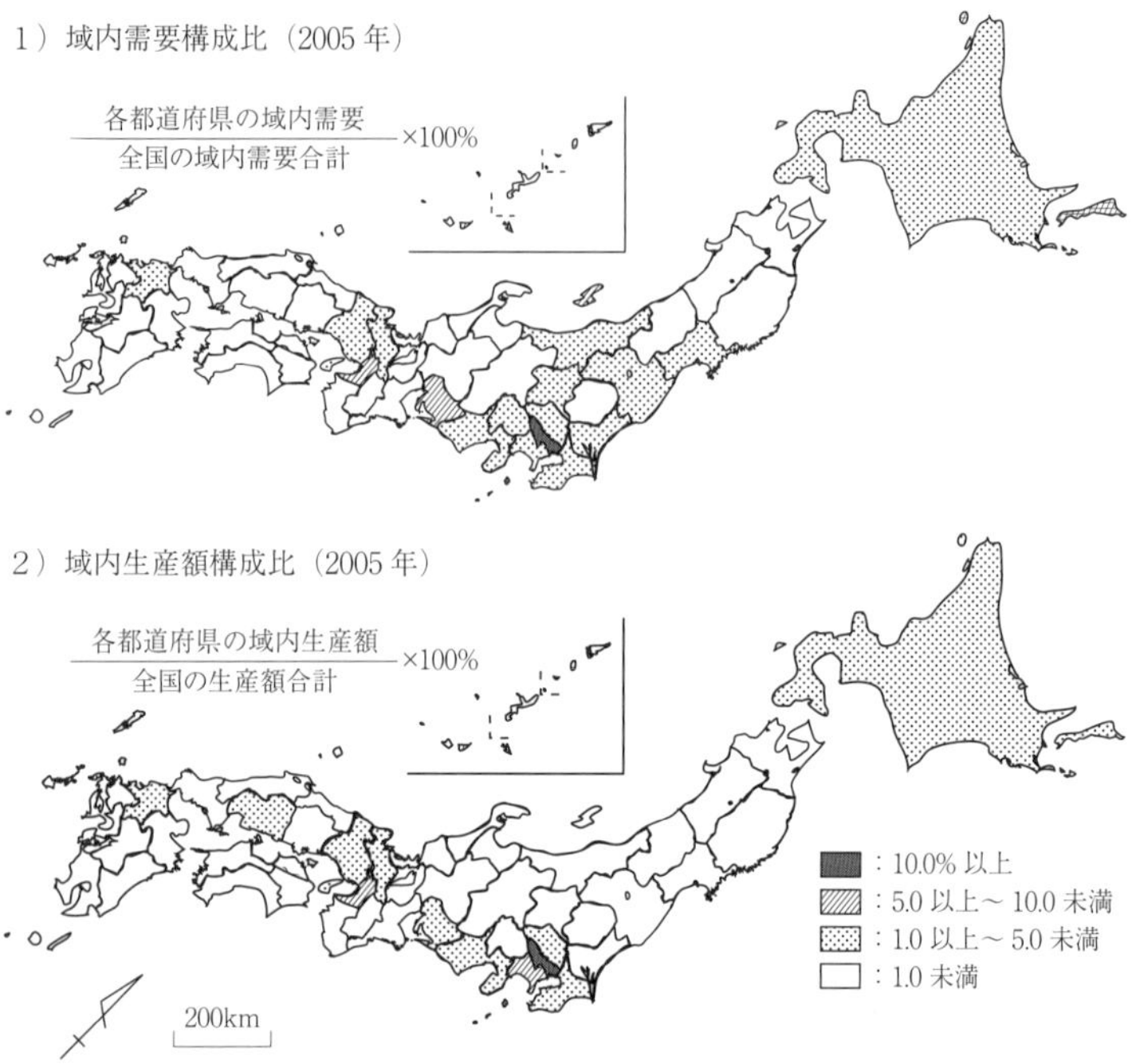

図２　各都道府県におけるIT産業の域内需要と域内生産額の構成比

（各都道府県の産業連関表により作成）

七・二％を占めています。それに続くのは大阪府（五・六％）、愛知県（五・〇％）、神奈川県（四・三％）であり、東京都の需要が突出しています。その一方で、割合が一％に満たない県は三一県を数えることができます。すなわち東京、大阪、愛知、神奈川以外の各県のIT産業需要は、ごくわずかであることがわかります。そして生産額を見ても、東京都と大都市圏への集中傾向が示されます。全国に対する東京都の生産額割合は六〇・三％であり、これに対して一％に満たない県は三五県あります。

　こうした事業所数、売上高、需要、生産額の大都市圏および東京都への集中傾向は、複雑な要因によって構造化されたものです。それは例えば、グローバル市場への対応を含む、個々の企業戦略や、それにともなう組織再編といった大きな動きの中で決定づけられる、東京都を中心とした全国的な分業の構造化や、需要と供給が循環的な関係として構造化された結果であると考えられています（加藤、二〇一一）。それゆえ地方圏のＩＴ産業は、高い技術水準が要求されない業務が割り当てられる、東京のＩＴ産業の下請けとして位置づけられてきた側面もあります。

また、少なくとも二〇〇〇年代なかばの地方圏では、ＩＴという物理的な形を持たない商品に対する無理解、つまりそれを形のある商品（物財）と同等の価値を認める価値観が浸透していないという、ＩＴ産業市場の質的な地域差があったことも指摘されています（中澤、二〇〇八）。それゆえに地方圏では、東京圏と同等以上の品質の商品を、より低価格で提供せざるを得ないという状況も形成されています。

いずれにせよ、ここまで見てきたように日本のＩＴ産業は複合的な「東京一極集中」の構造下にあります。それはＩＴ産業それ自体の問題であると同時に、日本の政治経済構造や都市構造そのものの東京一極集中という、従来の構造の再生産という面もあります。それゆえＩＴ産業をめぐる状況には地域差が生じ、東京と首都圏のＩＴ産業は、日本のＩＴ（ＩＣＴ）の供給元として圧倒的な位置を占めています。他方で地方圏のＩＴ産業は、ＩＣＴに対する市場の理解が必ずしも進んでいないこともあり、東京圏を中心とする分業構造に組み込まれ、低位な技術水準に甘んじる企業も少なくない状況です。地方圏のＩＴ産業には、東京圏を中心とする構造からの脱却、すなわち地域のＩＴ市場の成熟化と技術水準の向上を含む人材育成による、高付加価値化の具現化が求められます。

情報技術者コミュニティの空間分布

ＩＴ産業の東京一極集中構造を考慮に入れると、情報技術者コミュニティの在り方にも地域差が生じることは明白です。それぞれの地域でコミュニティはどのように成立し、どのような役割があるのでしょうか。より具体的には、東京圏の情報技術者コミュニティは、ＩＴ産業の東京一極集中を持続ないし強化する一つの要素でもあるはずですが、どのように関係するのでしょうか。そして地方圏のコミュニティは人材育成などの高付加価値化にどのように役立ちうるのでしょうか。

これらは次章で分析しますが、ここではまず情報技術者コミュニティが日本のどこに、どれくらい存在するのかを把握します。ここでは情報技術者コミュニティの「会合」の開催状況の空間的パターンを検討します。

まずは世界全体での会合開催状況を分析し、日本の位置づけを把握します。世界の会合開催状況を網羅的に把握することは不可能に近いので、「プログラミング言語」に関するコミュニティの会合を分析します。情報技術者コミュニティの会合の中でも、プログラミング言語に関するコミュニティの会合は、情報技術者にとってより普遍性の高い会合の一つです。プログラミング言語には多くの種類が存在しますが、ここでは「Ｐｅｒｌ」「Ｐｙｔｈｏｎ」「Ｒｕｂｙ」に関する会合の開催状況を分析します。

コミュニティの会合には、コンベンション施設などで開催される国際カンファレンスのような大規模な会合だけでなく、貸会議室やオフィスの一室で開催される私的な勉強会や読書会のような小規模な会合も多く含みます。いずれの会合についても、情報技術者は、自らが会合を開催する際にその会合の情報をインターネット上のポータルサイトに掲出することが一般的です。その情報に依拠して、各コミュニティの会合の開催日数を、地域別および国別に示しました。

図3、4を見ると、コミュニティの会合は先進国を中心に各国で開かれていますが、開催地は地域別および国別に偏在しています。つまり会合は欧州と北米地域で最も多く開催され、東アジアと南米地域が大きく差をあけてそれに続いています。国別ではアメリカにおける開催日数が際立って多くなっています。それに続くのは、ドイツとイギリスをはじめとした欧州各国とブラジルであり、日本の開催実績は世界で第五位です。東アジアで会合が多く開催されている国は、日本以外には見受けられません。日本は、アメリカや欧州ほどではないものの、活発にコミュニティの会合が開催されている地域です。

日本国内ではどのような状況でしょうか。ここでは先のプログラミング言語の会合に限らず、より広く、日本の情報技術者たちからコミュニティの会合と見なされている会合の開催状況を把握したいと思います（図5、6）。

結果として、第一に、分析対象期間における全国の延べ合計開催日数は延べ一万五千二八七日になりました。単純計算で、会合は一日あたり八・四回の開催、つまり毎日どこかで会合は開催されていることになります。

第二に、会合の開催日時の分析結果を示した図5をみると、会合初日の曜日は土曜が最も多く、それに金曜、日曜が続き、これら週末の三曜日で全体の六六・〇%を占めています。会合の開場時刻は、全体では一九時と一三時が突出しています。ただし開催日が平日の場合は一九時からの開催が五三・八%を占め、これに一八時が続きます。一方で土日の会合では、開場時刻の上位は一三時、一四時、一〇時で日中の開催が主となっています。

つまり情報技術者の会合は、主に平日の夜か休日の日中、すなわち業務時間外に開催されています。それは情報技術者にとって、これらの会合が所属企業の従業者という公的な立場からだけでなく、その立場

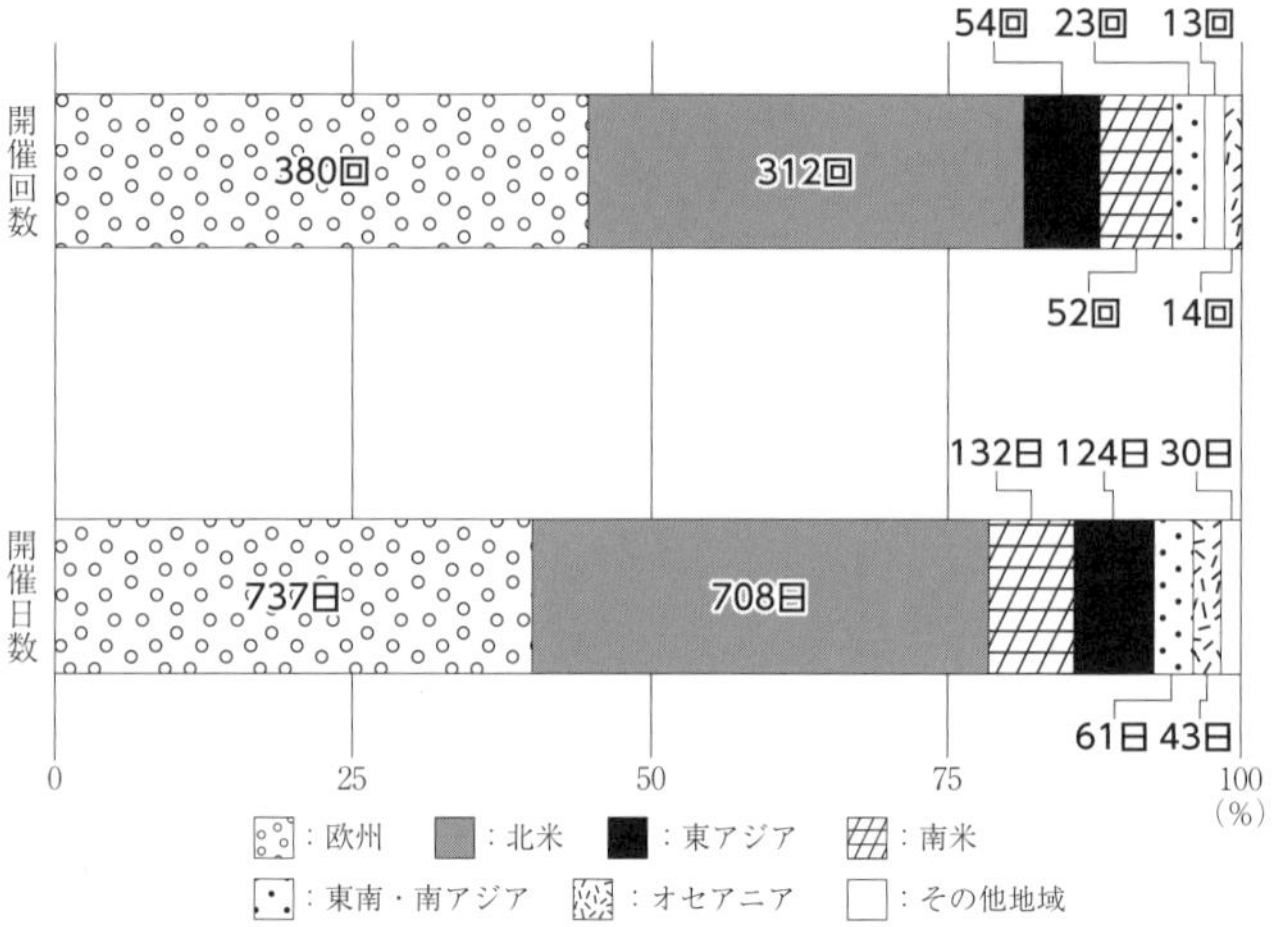

図３　世界各地域における情報技術者の会合の開催回数・日数（〜2013年）

（Perl，Python，Ruby の公式 Web サイト上の情報により作成）

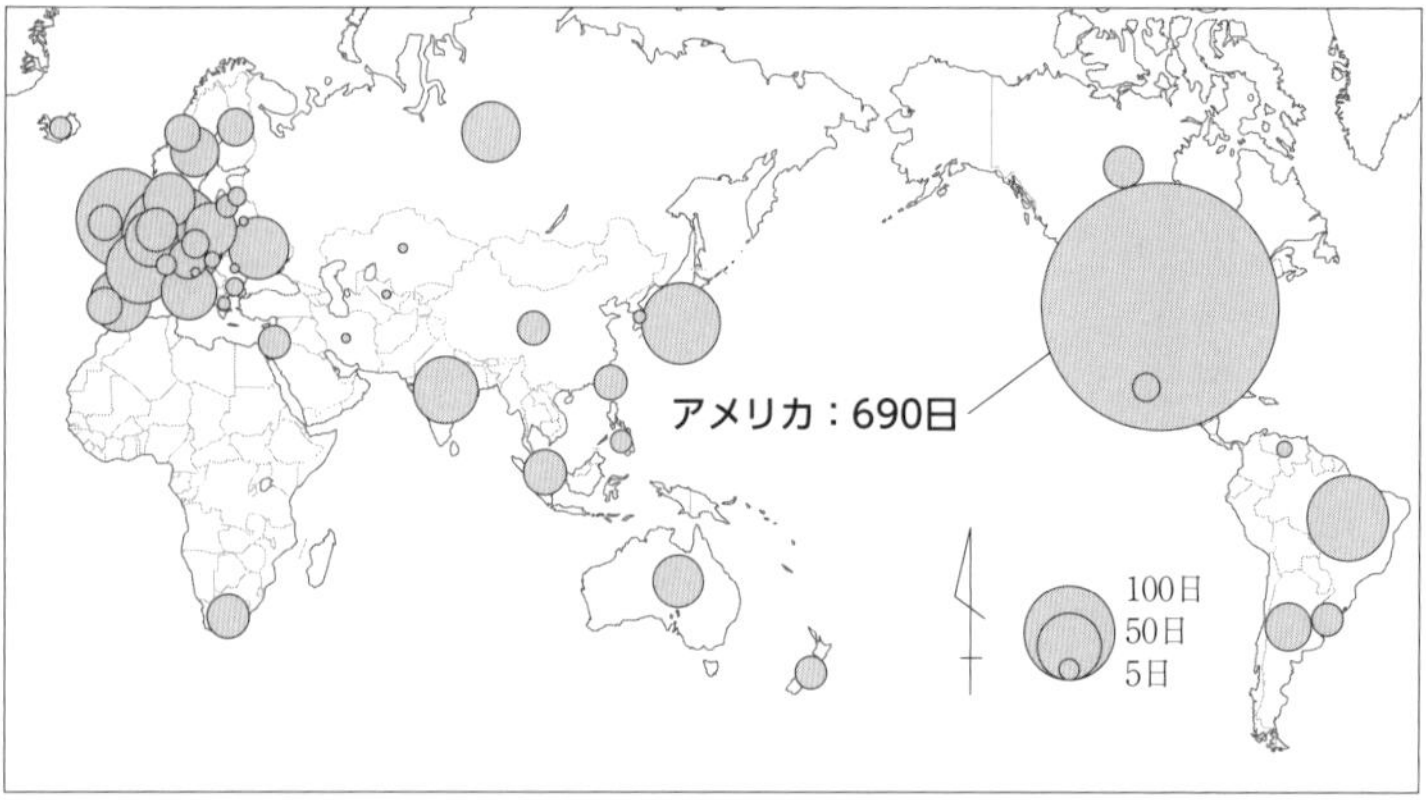

図４　世界各国における情報技術者の会合の開催日数

（Perl，Python，Ruby の公式 Web サイト上の情報により作成）

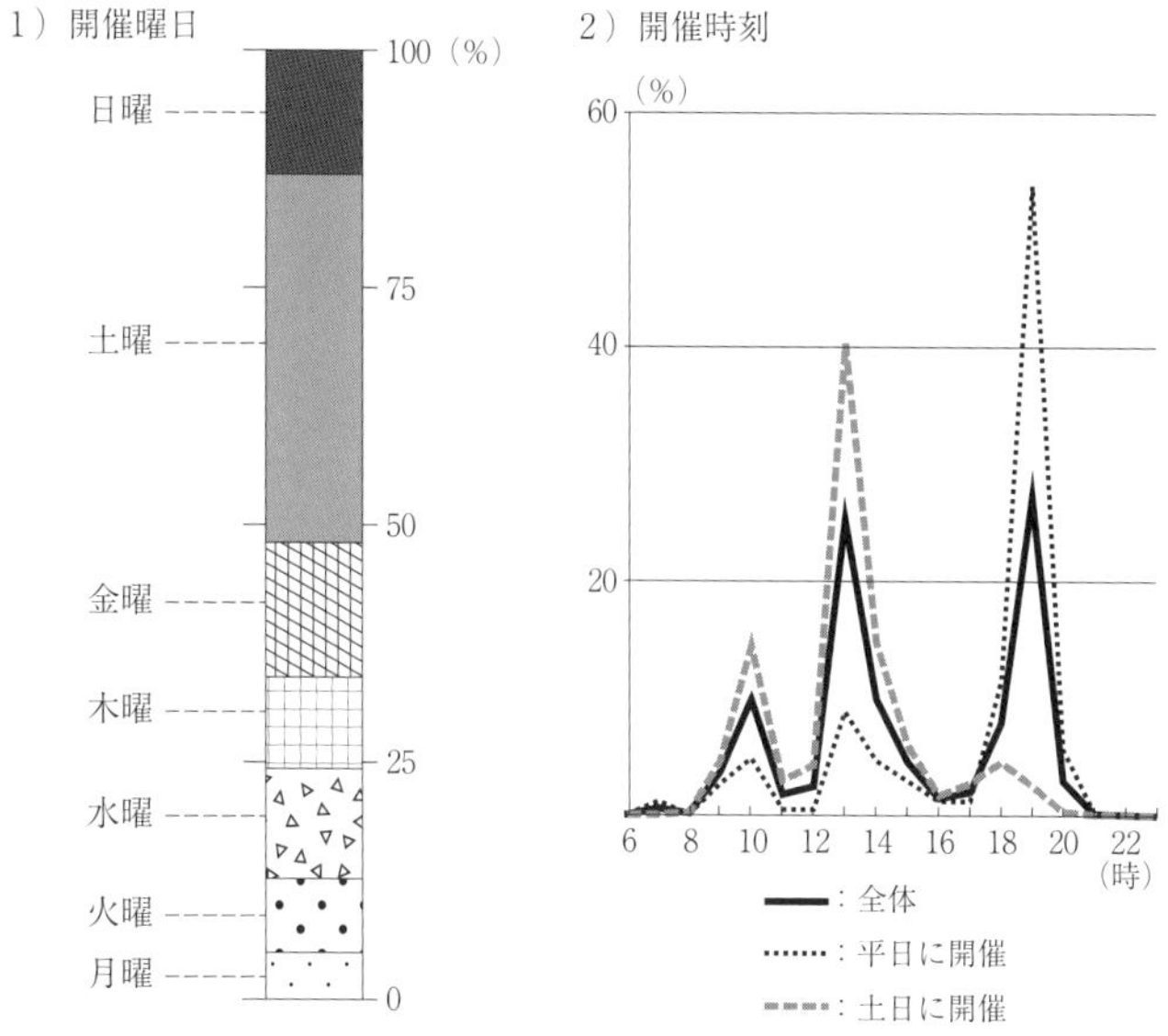

注）曜日は各会期の最終日の曜日を示す。開催時刻は会期初日の開催開始時刻を示す。

図5　情報技術者の会合の開催曜日・時刻（2009〜2013年）

（「IT勉強会カレンダー」により作成）

を離れた「個人」という私的な立場、あるいは公私の曖昧な立場で参加する場という性格を持つからだといえるでしょう。

　そして、都道府県別の会合開催日数を示したのが図6です。これを見ると、会合自体は地方圏を含む全国で開催されていることがわかります。ただし都道府県別に開催日数を見ると、開催日数が多いのは東京都や大阪府、愛知県、福岡県、京都府といった大都市圏です。とりわけ東京都における開催日数は全体の四八・二％を占めます。ただしＩＴ産業の数が多ければ会合も多く開催されるはずです。そこで会合開催日数を各都道府県のＩＴ産業の事業所数で割り、おおざっぱに一事業所あたりの会合開催日数を算出すると、上位十県の値は、一・〇四である島根県の他は〇・八三（宮城県）から〇・三五（愛知県）の間に収まります。東京都における一事業所あたりの

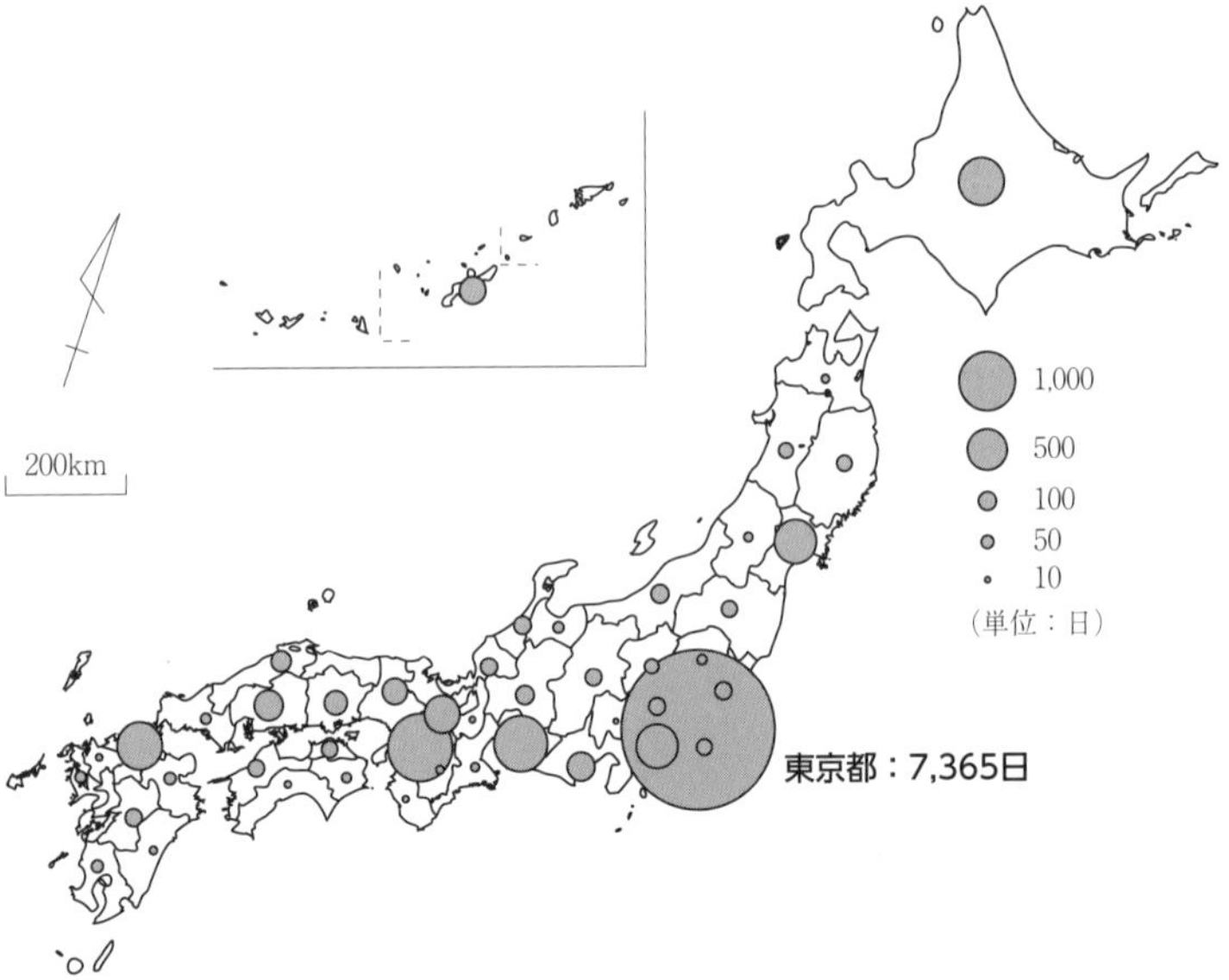

図6　情報技術者の会合の都道府県別開催日数（2009〜2013年）

（「IT 勉強会カレンダー」により作成）

会合開催日数は全国五位の〇・五一になります。会合は、島根県を例外とすれば、全体としては人口やIT産業事業所数の多い地域でより多く開催されています。

以上のデータから、全体的には情報技術者の会合は活発に開催されており、地方圏でも開催されているといえます。ただし会合は大都市圏とりわけ東京都に偏在しています。東京都で開催される重要な会合には、東京都や首都圏の情報技術者だけでなく、その他の大都市圏や地方圏の情報技術者も参加すると考えられますが、その際、会合へのアクセス性には「東京都とそれ以外」「大都市圏と地方圏」での格差が存在すると予想できます。こうした情報技術者コミュニティの東京一極集中が示唆される一方で、地方圏でも、特に島根県の開催日数（一二五日、一事業所あたり一・〇四日）は突出して多く、地方圏でも何らかの形で情報技術者コミュニティが発達している地域が存在することも看取されます。

それではIT産業とコミュニティの二重の東京一極集中のなかで、東京都のコミュニティはなぜ、どのように形成されるのでしょうか。一方、同様にそうした東京一極集中があるなかで、なぜ地方圏でも一部の地域ではコミュニティが発展しているのでしょうか。次章ではそのことを、両地域におけるコミュニティのケーススタディを通して検討したいと思います。

3　Rubyコミュニティと会合

OSSコミュニティとRubyコミュニティ

次章のケーススタディでは、情報技術者コミュニティの中でも「Rubyコミュニティ」というコミュニティを対象とします。Rubyコミュニティとは、「オープンソース・ソフトウェア（以下「OSS」と表記する）」である「Ruby」の開発・利用・普及を目的とする情報技術者コミュニティです。ここではケーススタディの概要として、これらの専門用語に若干の解説が必要だと思われますので、やや迂遠ではありますが、簡潔にその概要と注目すべき点を整理しておきます。

OSSとは、企業が開発する通常のソフトウェアと異なり、そのプログラムの中身全てをインターネット上で無償公開することで、原理的には、事実上世界中の情報技術者から自発的かつ自由に開発・利用されるソフトウェアです。著名なOSSの例としては「リナックス」や「アパッチ」、「アンドロイド」などが挙げられます。これらの開発には世界中の多数の情報技術者が関わり、所属先の枠を越えて協働できるので、ＯＳＳの中には、従来のソフトウェアよりも高品質と評価され、世界的に使用されているものもしばしば見られます。また様々な地域の様々な組織で同様のソフトウェアが使用されることになるため、ＯＳＳはオペレーティング・システム（ＯＳ）やプログラミング言語など、ソフトウェアの中でも、より基礎的な領域を構成するものとして作られやすいことも挙げられます。それゆえＯＳＳは現代のＩＴ産業や、ひいては情報社会における技術的基盤といっても過言ではありません。そしてＯＳＳに関する情報技術者コミュニティでは、ＯＳＳの開発や普及に関する協働や情報共有や人的交流が行われます。

ケーススタディで対象とする「Ｒｕｂｙ」は、ＯＳＳの中でも、島根県松江市在住の情報技術者である松本行弘氏が一九九五年に開発したプログラミング言語です。Ｒｕｂｙは他のプログラミング言語と比較して、ソフトウェアの開発に本来必要でない作業が極力排除され、技術者がプログラミングそのものにより集中できる技術仕様になっていることが特性として挙げられます。それはこれは前述の非経済的インセンティブと同様に、松本氏の、「プログラミングが楽しい」ということがソフトウェア開発において最も重要なことであるという設計思想によるものです。

これにより、第二の特徴である、ソフトウェアをより効率的に開発できる高い生産性が実現されています。この特性が注目され、Ｒｕｂｙは二〇〇五年頃から、少人数による急速な成長、すなわち高い生産性が要求される世界各国のＩＴベンチャーで使用されています。こうしたことから松本氏およびＲｕｂｙは国内外から多数の賞を受けており、Ｒｕｂｙは日本発の、世界を代表するソフトウェアの一つと目され、松本氏は世界中の情報技術者から、日本で最も有力な情報技術者の一人として認知されています。

そして、こうしたＩＴ産業におけるＲｕｂｙの知名度の高さと、松本氏本人が島根県松江市に在住していることにより、日本および島根県と松江市は「Ｒｕｂｙの聖地」として情報技術者から認知されていいます。世界のスケールでは日本がＲｕｂｙの聖地であり、国内のスケールでは島根県と松江市がＲｕｂｙの聖地として国内外の情報技術者から評されています。先のコミュニティの会合の開催状況の分析で、島根県の値が地方圏としては高かった一因はここにあります。

いずれにせよＲｕｂｙコミュニティは、ＩＴベンチャーに関する、日本の地方都市が中心となる世界的な情報技術者コミュニティです。それゆえ日本の情報技術者コミュニティの中でも、ＩＴベンチャーやその情報技術者に関わる、最も活動が活発なコミュニティの一つであり、東京圏と地方圏におけるＩＴベンチャーをめぐる情報技術者コミュニティの意義が最も表出しやすいコミュニティといえます。

Ｒｕｂｙコミュニティの会合はその開催規模に基づき、二種類に大別されます（表６）。第一には、米国や欧州の大都市や東京都で開催される、少数の国際カンファレンスです。これらの国際カンファレンスは複数日にわたって開催される大規模会合です。

もう一つが、世界各都市で開催される、会合の名称に都市や国名を冠した「ローカルユーザーグループ」です。これは文字通りＲｕｂｙを利用する情報技術者の地域的な会合です。ローカルユーザーグループの開催地は表に例示したように多様であり、その性格も、開催都市の規模等の地理的条件によって地域差があると考えられます。

これらＲｕｂｙコミュニティの会合は、日数換算で二〇一四年三月までに延べ六二五日開催されています。開催日数が最も多いのはアメリカであり、延べ三二七日で、これは全開催日数のうちおよそ半数を占めています。欧州や東南アジアや南米など各地で会合が開催されていますが、日本は会合開催日数が延べ四一日で、世界第二位の開催実績を持ちます。Ｒｕｂｙの開発者がいることもあって、日本は世界でも特に活発にＲｕｂｙコミュニティの会合が開催されている地域になっています。国際カンファレンスもロー

表6　Ruby コミュニティの会合構成

種別	スケール	該当する会合の例	該当会合数
国際カンファレンス	International	会合F（東京都） International Ruby Conference（アメリカ） European Ruby Conference（EU） Ruby Word Conference（島根県）	4
ローカルユーザーグループ	National	Israel.rb（イスラエル） RubyTaiwan（台湾） China on Rails（中国） RubyArgentina（アルゼンチン） Ruby Serbia（セルビア） Belarus on Rails（ベラルーシ）	40
	Regional-Local	Kiev on Rails（キエフ） Copenhagen Ruby Brigade（コペンハーゲン） Oxford Ruby User Group（オックスフォード） Chicago.rb（シカゴ） Dakar Ruby User Group（ダカール） Sapporo.rb（北海道札幌市） Shibuya.rb（東京都渋谷区）	217

注1）「該当会合数」は2013年までに開催された会合が対象。
注2）National スケールと Regiona-Local スケールは会合名が国名に由来するか否かから区分した。区分を点線で示したのは，実際の会合の性格において両者の境界はあいまいだと考えられるからである。

（Ruby コミュニティおよび各会合資料と聞取り調査により作成）

カルユーザーグループのいずれも、東京都と島根県それぞれで開催されています。

こうしたRubyコミュニティの会合を開催し運営するという「自由の行為」は、東京都と島根県それぞれにおいて、いかに実践されてきたのでしょうか。次章ではそれを検証したいと思います。

4　まとめ

ベンチャー企業が成長し発展する地域とは、取引関係などの「公的関係」ではなく、より広い、私的な友人や知人関係などの「非公的関係」が発達している、開放的で「自由」な地域だと考えられています。その一因は、ベンチャー企業は大企業と比べて経営資源が少ないため、経営者や従業者がもつ非公的関係に頼って、様々な経営資源を社外から獲得しようとする意義が大きいからです。人々が組織に縛られずに自由に活動し、開放的に社会関係を構築し発達させられる地域では、個々の組織を超えた経営資源の「共有プール」が発達するので、それを自由に活用できるベンチャー企業たちが成長しやすくなると考えられます。

こうした非公的関係が形成される場として、ベンチャー企業のなかでもＩＴベンチャーに関わる情報技術者たちが作る、情報技術者コミュニティを挙げることができました。このコミュニティは、技術者たちが自発的に、組織を超えて電子的あるいは対面で接触して社会関係を構築して協働する場です。

情報技術者たちはこれを単に「コミュニティ」と呼んでいますが、学術的には、その組織はネットワークでありコミュニティでもあります。技術者コミュニティは、固定的で階層的な社会関係ではなく水平的でゆるやかな社会関係をもつ「ネットワーク」型の組織です。そしてそれが形成されるのは、技術者たちが変化の激しいＩＴベンチャー業界で、自らの生活を維持し向上しようとし、そのためには知識や技術を研鑽せねばならないといった規範を持つからです。そうした指向性や規範をもち、それらを達成しようとする営みは、学術的な意味における「コミュニティ」でもあります。

そうした、技術者たちの指向性や規範を象徴する概念が「非経済的インセンティブ」でした。技術者たちは、金銭などの経済的インセンティブだけでなく、自らの知識や技術の向上それ自体や、それを通したコミュニティへの主体的関与、それによる社会的評価の獲得といった、非経済的インセンティブを得ることを求める価値観を持っています。

したがって理論的には、コミュニティにおける非経済的インセンティブを求める情報技術者たちの営みは、不確実性の高いＩＴベンチャー業界のなかで、自らが所属している組織にとらわれず自ら主体的に関与し改変可能な外部領域、つまり積極的自由の拡大が可能な領域としての情報技術者コミュニティと、そこで自ら活動することを求める、「自由の行為」であるということができます。一方、ＩＴベンチャー企業たちには、みずからの従業者である情報技術者たちに、こうした自由の行為を容認し促進すること、つまり消極的自由の拡大を進めることが求められます。

さらに地理学的には、日本の場合、こうしたコミュニティの在り方は東京一極集中の影響を受けていると考えられます。ＩＴ産業の立地自体が強い東京一極集中を示すため、コミュニティの会合も東京で多く開催され、地方ではあまり見られません。それゆえ、例えば東京都で開催される重要な会合に参加する場合には、当然、東京圏の技術者たちが有利であり、地方圏の人々は不利になります。会合は平日の夜や週末などの業務時間外に多く開催されていましたが、参加するには技術者自身が普段の就業地や居住地から、会合の開催地に物理的に移動する必要があるからです。コミュニティへの参加機会には空間的な格差が存在するはずです。

ただし注目すべき点として、島根県のように、地方圏でも活発に会合が開催されている地域があります。大都市圏や東京都だけがＩＴベンチャー業界や技術者コミュニティのすべてではありません。地方圏のコミュニティには、地方圏ならではの、東京都などの大都市圏では成立しない価値があるはずです。次章では特にこの点に注視したいと思います。

第六章　情報技術者たちの自由なコミュニティとその地域差

本章では、東京都と島根県の情報技術者コミュニティのケーススタディを行います。それぞれの地域における代表的な会合を対象に、それがどのように成立し、そこで技術者たちがどのような自由な活動を行い、それが地域においてどのような価値を生み出しているのかを分析します。特に東京都と島根県という対象的な地域の地域のコミュニティで、その地域ならではの「自由の行為」がどのようなものなのかに注目していきます。

1　東京都の技術者コミュニティの大規模会合

まず、東京都における技術者コミュニティの会合の実態を分析します。ここでの論点は東京圏のＩＴベンチャーとその情報技術者にとって、コミュニティがどのような意義を持つのかということです。そこでケーススタディとして、Ｒｕｂｙコミュニティにおける最大の会合の一つである、東京都で開催される事例会合「会合Ｆ」（仮名）の実態把握を行います。

表7　会合Fの概要（2014年）

概要	
開催地	東京都
開催日数	3日
開催曜日	木・金・土
初開催年	2006年
位置づけ	準国際カンファレンス
開催回数	8回
開催頻度	年1回（2012年は開催なし）
参加費	10,000円〜28,000円
懇親会の有無	○
会場	
会場の所有者	自治体・公的機関等
会場	コンベンション施設
Wi-Fi	○
運営者	
主催者の種類	一般社団法人
運営者数	35人
運営体制	ボランティア
運営資金	
協賛制度	○
協賛団体・企業数	43
協賛金合計（概算）	960万円以上
発表者	
対象言語	Ruby
発表者数	59名
発表者構成	依頼＋公募
審査通過率	50.0%
外国語対応	
対応外国語	英語
外国語対応	全ての案内表記が英語 同時通訳

（聞き取り調査および会合資料により作成）

大規模会合の運営形態

会合Fは、東京都で年に一度、三日間にわたり開催されている国際カンファレンスです（表7）。運営しているのは、Ｒｕｂｙの利用者と開発者の支援を目的とした一般社団法人である「日本Ｒｕｂｙの会」です。会合Fの開催のきっかけは、日本Ｒｕｂｙの会の代表者（表8・番号2）が、海外の大規模会合の存在をＷｅｂサイトを通じて知り、二〇〇一年に、アメリカのフロリダ州で開催されたＲｕｂｙコミュニティの国際カンファレンスInternational Ruby Conference に参加したことでした。

彼はその魅力と価値を体感し、日本でも同様の国際カンファレンスを開催すべきであると触発され、会合Fを設立しました。二〇一四年時点での運営者は三五名のボランティアです。このうち一一名が、会合運営全般に関わる基幹スタッフです（表8）。二〇代と三〇代の若い世代が中心で、居住地と勤務地は、北海道やアメリカである者もいますが、多くは東京都で居住ないし勤務しています。全員がプログラミング能力を持ち、ＩＴ企業に勤務し、ほぼ全員が技術職です。

表8　会合Ｆの運営代表者（2014年）

番号	会合運営		年齢	就業地	居住地	学歴		普段の業務						
								業種		職種				
	役割	年数				最終学歴	専攻	PG	IT系	非IT系	技術職	事務職	管理職	経営者
1	代表者	9年	30代	東京都	東京都	大卒	法学	○	○		○			
2	Organizer	9年	40代	東京都	東京都	修士卒	情報工学	○	○					○
3	Organizer	5年	20代	アメリカ	アメリカ	修士卒	経営工学	○	○		○		○	
4	Organizer	3年	30代	東京都	東京都	修士卒	Computer Science	○	○		○			
5	Organizer	2年	30代	東京都	東京都	大卒	不明	○	○		○			
6	放送担当	7年	30代	東京都	東京都	高専卒	制御工学	○	○		○			
7	放送担当	6年	40代	東京都	東京都	高卒	電気科	○	○		○			
8	デザイン担当	5年	30代	北海道	北海道	大卒	文学	○	○		○			
9	インフラ担当	4年	30代	北海道	北海道	大卒	電気工学	○	○		○			
10	翻訳(i18n)	2年	30代	東京都	東京都	不明	Computer Science	○	○		○			
11	Web担当	2年	20代	北海道	北海道	大卒	理学	○	○		○			

注1）PG：プログラミング能力有り
注2）「放送担当」はインターネットによる講演のライブ中継の担当者。「i18n」は「internationalization」の略で，本来はソフトウェアを国際化する作業を意味する。担当者が情報技術者であるためこのように自称している。

（聞き取り調査により作成）

つまり会合Ｆは、特定の企業や組織の業務上の必要から設立されたものではなく、運営者個人の、情報技術者としての興味関心や欲求を原動力として設立された会合であり、東京都内を生活拠点とする情報技術者たちが中心となって、自発的かつ無償で運営されています。

運営はボランティアですが、会合自体は大規模です。現在、会場は東京都内のコンベンション施設を使用しています。それにかかる運営資金は、会合への参加費と企業等からの協賛金によって調達されています。参加費は、参加条件によって異なりますが、およそ一万円から三万円です。ケーススタディを行った二〇一四年には、四三の団体と企業から、九六〇万円の協賛金を得ています。

会合Ｆの開催目的は、①Ｒｕｂｙの利用者や開発者の支援と、②Ｒｕｂｙコミュニティ内の人的交流の促進です。①の方法として位置づけられているのが、Rubyの利用や開発に関する講演です。二〇一四年の会合では五九名が講演しました。講演者は一部のゲストスピーカーを除き、ほとんどが公募で決定されます。誰でも発表できるわけではなく運営者が発表内容を審査し、二〇一四年度の審査通過率は五〇・〇%でした。

しかし、運営者へのインタビューによれば、運営者がより重視しているのは②の交流促進です。実際に、会期中は発表時間と交流時間が交互にプログラムに織り込まれ、昼食会や懇親会も設けられています。そしてこれらの時間を活用する目的で、会場内には大きな交流スペースが確保されています。そこでは技術者のために、電源と無線インターネット回線や飲食物も配置され、参加者間の交流を促す環境が作られています。ここでは参加者たちが各々のノートPCを広げ、会話しながらプログラミングを行っている様子が見られます。

大規模会合の参加者たち

二〇一四年の会合Fの参加者実数は六二二名でした。筆者は会合現地で参加者へのインタビュー調査を行い、参加者全体の二五・七%にあたる一六〇名から回答を得ました。ここでは、この一六〇名から無効票を除いた一五八名を次の三種類に類型化し、各類型の特性を見ていきます。

類型化は各参加者の国籍や居住地に関わらず、自身の所属先(企業や組織)の所在地、つまり普段働いている場所に基づいて、

①首都圏(東京・埼玉・千葉・神奈川)で働いている者…「首都圏参加者」、
②その他の国内で働いている者…「地方参加者」、
③海外で働いている者…「海外参加者」に分けました。

類型化の結果、首都圏参加者は一〇九名（全体の六九・〇％）、地方参加者は三四名（二一・五％）、海外参加者が一五名（同九・五％）となりました。以下では、各類型の参加者の個人属性を示した表9、その所属先企業の所在地と創業年を示した図7と8、所属先との関係をまとめた表10、過去の会合参加経験をまとめた表11、会合Fへの参加目的を示す表12をそれぞれ分析します。

首都圏参加者の特性

首都圏参加者は参加者のうち最大のグループです。まず個人属性を見ていきます（表9）。年齢は二〇代と三〇代の割合が各三二・一％、五八・七％で、全体のおよそ九割を占めます。外国人も含まれます。ほぼ全員がプログラミング経験をもつ情報技術者であり、ＳＮＳを利用します。所属先の所在地はほとんどが東京都内です（図7）。創業年はほとんどが一九九六年以降であり、つまりインターネットの商用利用が一般化してから設立された企業や組織に所属するものが多数です（図8）。

所属先の種類としては（表10）、非ＩＴ系一般企業や学生なども含まれます。しかし突出しているのはＩＴ企業（九四・五％）です。そして大企業に所属する率は、「大企業」を従業者数で定義した場合は三二・一％、資本金額での定義では五三・二％であり、これらは、参加者全体の平均値よりも一〇％程度高い数値です。首都圏参加者は、多くが、より大規模なＩＴベンチャーに所属していることがわかります。役職・仕事内容としては技術職がほとんどを占め、事務職や管理職、経営者、フリーランスなどはいずれも一〇％未満です。つまり単純にいえば、首都圏参加者のほとんどは東京のＩＴベンチャーに所属する若い情報技術者です。

注目すべきこととして、各参加者が会合Fにどのような意識で参加しているのか、個人として自発的に

表9　会合F参加者の基本情報（2014年）

項目	全体（158）	首都圏（109）	地方（34）	海外（15）
年齢				
10代	0.6%（1）	0.0%（0）	2.9%（1）	0.0%（0）
20代	27.8%（44）	31.2%（34）	17.6%（6）	26.7%（4）
30代	59.5%（94）	58.7%（64）	58.8%（20）	66.7%（10）
40代	8.9%（14）	7.3%（8）	14.7%（5）	6.7%（1）
50代	2.5%（4）	1.8%（2）	5.9%（2）	0.0%（0）
不明	0.6%（1）	0.9%（1）	0.0%（0）	0.0%（0）
国籍				
日本	94.9%（150）	92.7%（101）	100.0%（34）	20.0%（3）
国外	5.1%（8）	7.3%（8）	0.0%（0）	80.0%（12）
プログラミング				
経験率	97.5%（154）	97.2%（106）	97.1%（33）	100.0%（15）
最終学歴				
大学院卒（博士）	5.1%（8）	4.6%（5）	8.8%（3）	0.0%（0）
大学院卒（修士）	19.0%（30）	22.0%（24）	14.7%（5）	6.7%（1）
大卒（学部）	57.6%（91）	54.1%（59）	58.8%（20）	80.0%（12）
高専卒	4.4%（7）	5.5%（6）	2.9%（1）	0.0%（0）
専門学校卒	7.6%（12）	9.2%（10）	5.9%（2）	0.0%（0）
高卒	5.7%（9）	3.7%（4）	8.8%（3）	13.3%（2）
中卒	0.6%（1）	0.9%（1）	0.0%（0）	0.0%（0）
学生時代の専攻				
理科系（情報系）	46.8%（74）	50.5%（55）	35.3%（12）	40.0%（6）
理科系（非情報系）	27.2%（43）	19.3%（21）	50.0%（17）	33.3%（5）
文科系	20.9%（33）	22.9%（25）	14.7%（5）	20.0%（3）
芸術系	1.3%（2）	1.8%（2）	0.0%（0）	0.0%（0）
その他	4.4%（7）	5.5%（6）	0.0%（0）	6.7%（1）
SNS 利用率				
Twitter	95.6%（151）	97.2%（106）	88.2%（30）	100.0%（15）
Github	96.8%（153）	97.2%（106）	94.1%（32）	100.0%（15）
域外の会合参加				
経験率	54.4%（86）	45.9%（50）	67.7%（23）	86.7%（13）

注1）調査対象者160名中無効票の2名を除く158名の情報を示した。

注2）括弧内は該当者数を示す。

注3）「域外の会合参加経験率」は，各参加者の所属先所在県外での会合参加を意味する。ただし海外参加者については所属先所在国外での会合参加を意味する。


（聞き取り調査により作成）

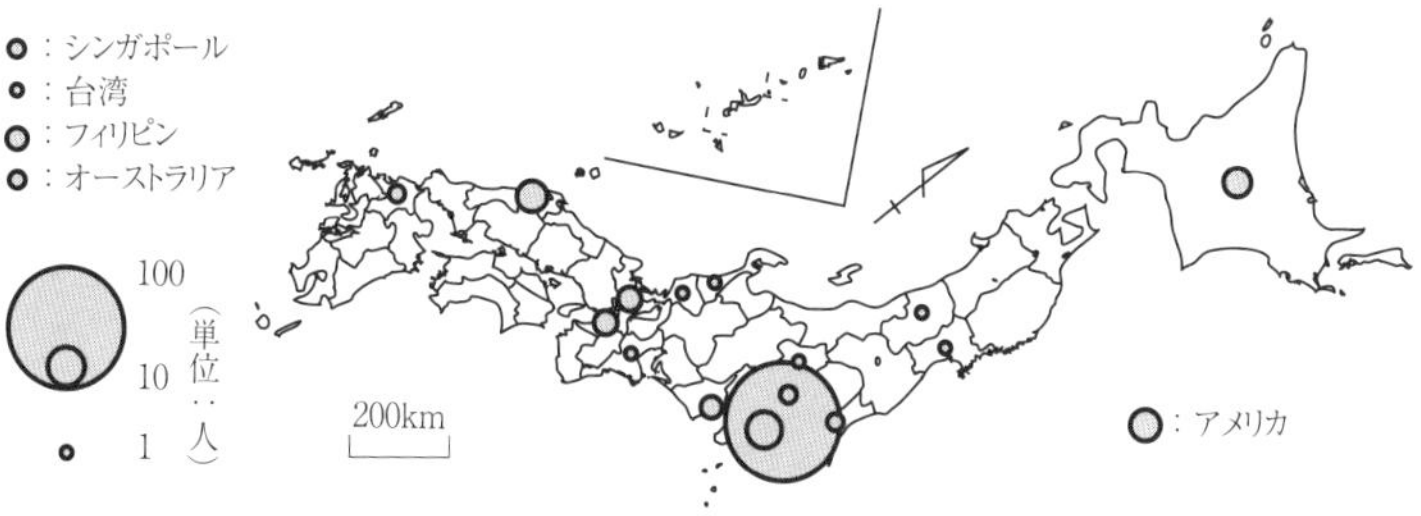

図７　会合Ｆ参加者の所属先所在地（2014年）

（現地調査により作成）

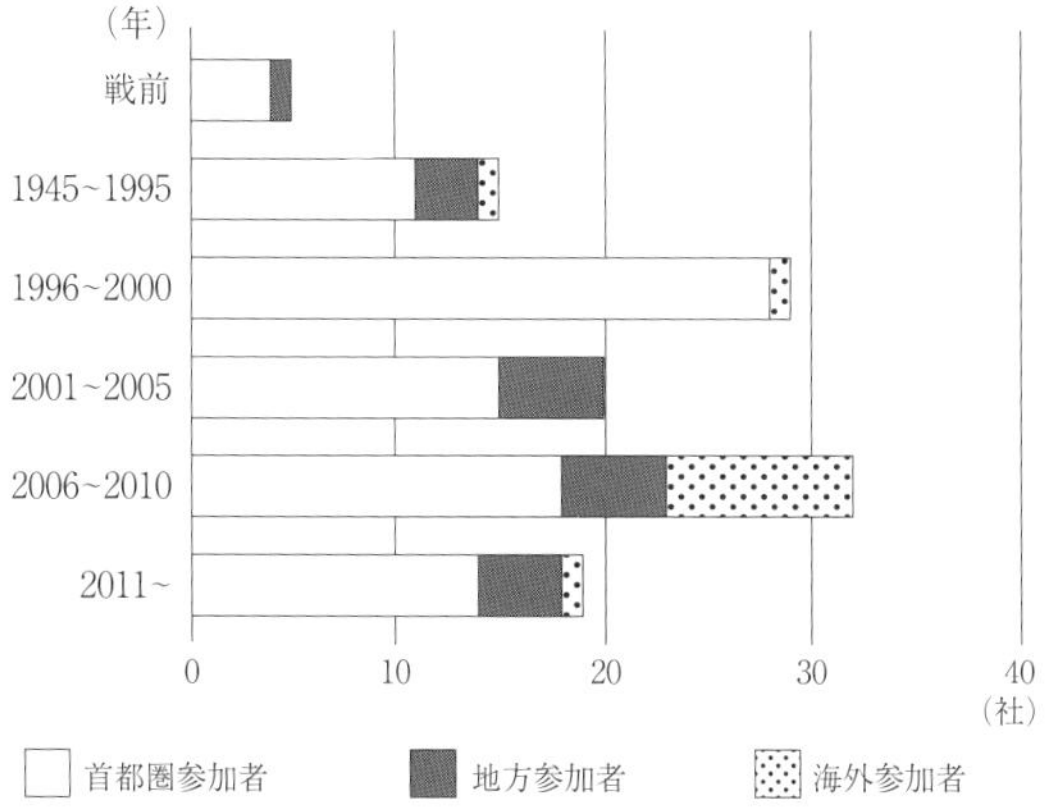

図８　会合Ｆ参加者の所属先企業の創業年

（現地での聞き取り調査および各社 Web サイトにより作成）

表10　会合F参加者の所属先との関係（2014年）

項目	全体（158）	首都圏（109）	地方（34）	海外（15）
所属先の種類				
IT 企業	89.2%（141）	94.5%（103）	70.6%（24）	93.3%（14）
非 IT 系一般企業	3.8%（6）	1.8%（2）	11.8%（4）	0.0%（0）
教育・研究機関	2.5%（4）	0.9%（1）	8.8%（3）	0.0%（0）
公的機関	1.3%（2）	0.9%（1）	2.9%（1）	0.0%（0）
その他の団体	0.6%（1）	0.0%（0）	2.9%（1）	0.0%（0）
学生	3.2%（5）	3.7%（4）	2.9%（1）	0.0%（0）
その他	0.6%（1）	0.0%（0）	0.0%（0）	0.0%（0）
大企業所属率				
一般企業に所属	93.0%（147）	96.3%（105）	82.4%（28）	93.3%（14）
従業員数				
101名以上	24.1%（38）	32.1%（35）	8.8%（3）	0.0%（0）
資本金額				
5,000万円以上	41.1%（65）	53.2%（58）	20.6%（7）	0.0%（0）
5 億円以上	24.7%（39）	33.0%（36）	8.8%（3）	0.0%（0）
役職，仕事内容				
技術職	89.9%（142）	91.7%（100）	82.4%（28）	93.3%（14）
事務職	8.2%（13）	9.2%（10）	2.9%（1）	13.3%（2）
管理職	9.5%（15）	7.3%（8）	11.8%（4）	20.0%（3）
経営者	10.8%（17）	7.3%（8）	17.6%（6）	20.0%（3）
フリーランス	10.1%（16）	7.3%（8）	20.6%（7）	6.7%（1）
その他	5.7%（9）	4.6%（5）	8.8%（3）	6.7%（1）
参加形態				
個人として	34.2%（54）	38.5%（42）	32.4%（11）	6.7%（1）
所属先の代表	39.9%（63）	39.4%（43）	47.1%（16）	26.7%（4）
分けられない	24.7%（39）	22.0%（24）	14.7%（5）	66.7%（10）

注 1）調査対象者160名中無効票の 2 名を除く158名の情報を示した。
注 2）括弧内は該当者数を示す。
注 3）「役職，仕事内容」のみ複数回答可。

（聞き取り調査により作成）

表11　会合F参加者の過去 1 年間の会合参加経験（2014年）　（単位：人）

	全体（158）		首都圏（109）		地方（34）		海外（15）	
他会合参加経験あり	139	88.0%	93	85.3%	31	91.2%	15	100.0%
会合の開催地								
東京都内	112	70.9%	85	78.0%	17	50.0%	10	66.7%
首都圏内	115	72.8%	87	79.8%	18	52.9%	10	66.7%
地方	45	28.5%	18	16.5%	25	73.5%	2	13.3%
海外	32	20.3%	17	15.6%	3	8.8%	12	80.0%
所属先の所在県外	86	54.4%	49	45.0%	24	70.6%	13	86.7%
参加先地域数の平均値	1.6		1.4		1.9		2.5	

（聞き取り調査により作成）

表12　会合Ｆ参加者の参加目的（2014年）

目的	全体（160）	首都圏（109）	地方（34）	海外（15）
技術的知識の獲得	78.8%（126）	79.8%（87）	73.5%（25）	93.3%（14）
業界の知識の獲得	46.9%（75）	48.6%（53）	38.2%（13）	60.0%（9）
優れた人材との交流	48.8%（78）	49.5%（54）	41.2%（14）	66.7%（10）
友人との交流	42.5%（68）	42.2%（46）	44.1%（15）	46.7%（7）
新たなプログラミング仲間の獲得	38.8%（62）	33.9%（37）	35.3%（12）	86.7%（13）
他人との交流	27.5%（44）	29.4%（32）	20.6%（7）	33.3%（5）
自分の技術的知識の伝達	15.6%（25）	11.0%（12）	20.6%（7）	40.0%（6）
OSC への貢献	27.5%（44）	26.6%（29）	23.5%（8）	46.7%（7）
雇用先獲得	8.8%（14）	10.1%（11）	8.8%（3）	0.0%（0）
取引先獲得	8.1%（13）	8.3%（9）	8.8%（3）	6.7%（1）
その他ビジネス目的	12.5%（20）	11.9%（13）	11.8%（4）	13.3%（2）

注１）括弧内は該当者数を示す。　（聞き取り調査により作成）
注２）複数回答可。

参加しているのか、仕事として来ているのかという点があります。すなわち①「所属先の代表として」…仕事の一環として出張扱いなのか、②「個人として」…仕事とは直接関係なく参加しているのか、あるいは③それらを明確に「分けられない」…公私曖昧な状態なのかです。

本類型では、「所属先の代表として」は三九・四％に留まります。半数以上の参加者は「個人として」あるいは「分けられない」と答えています。より具体的には、聞き取り調査では、個人として参加しているつもりだが、出張扱いで勤務先が参加費を負担しているために所属先の代表として回答するという意見や、あるいは同様の理由から「分けられない」を選択するという意見、さらに企業が出張費扱いで参加費を負担している者でも、公私の別について「考えたこともない」と述べる例も複数見られました。また企業側へのインタビューでは「社内の情報技術者には出張扱いとして参加費などを負担しているが、それは社員としてというより自分自身のためとして参加してもらっている」といった意見が得られています。

つまり参加者たちは、基本的には公私が曖昧な意識で参加しており、どちらかといえば仕事のためというよりも自分自身のために自発的に参加しているという意識が強く見られます。この結果は、運営者側だけでなく参加者側から見ても、コミュニティの会合が技術者たちの自発的な意思によって成立していることを表しています。

また、様々な会合に参加している者は、コミュニティで活発に活動していることを意味します。そこで、この事例会合以外の会合への参加経験について見ていきます。表11は過去一年間における会合の参加経験をまとめたものです。首都圏参加者のうち八五・三％（九三名）は、他の会合にも参加したことがあります。これは参加者全体の平均値よりはわずかに低くなっています。

過去に参加した会合の開催地を見ると、東京都内および首都圏内の会合へ参加した者はそれぞれ八割弱を占めます。これに対して地方会合への参加率は一六・五％に留まり、海外会合への参加率は一五・六％と、これらも参加者全体の数値より低くなっています。

つまり首都圏参加者の多くは会合F以外の会合にも参加しているけれども、そのほとんどは東京都内の会合です。多くの首都圏参加者にとっては、コミュニティの会合は都内で開催されているものに参加するだけで満足しており、わざわざ地方や海外の会合にまで参加する必要を見出していないのかもしれません。

最後に会合への参加目的を見ると（表12）、「技術的知識の獲得」や「業界の知識の獲得」「優れた人材との交流」など、知識獲得および人的交流に関する諸項目の回答率が五割前後を占め、これらが首都圏参加者の主な参加目的といえます。ただしコミュニティ貢献（『自分の技術的知識の伝達』『ＯＳＣへの貢献』）やビジネス関連（『雇用先獲得』『取引先獲得』『その他ビジネス目的』）の回答率も参加者全体と比して著しく低いわけではありません。つまり首都圏参加者は知識獲得と人的交流を主な目的としつつも、コミュニティ貢献やビジネス関連等を目的とする者もいるというように、多様な目的を併せ持っているといえるでしょう。

地方参加者の特性

つづいて地方参加者について、まず個人属性から見ていきます。地方参加者も首都圏参加者と同様に、ほぼ全員がプログラミング経験を持ち、SNSを利用しています。ただし年齢は三〇代が多く年齢層がやや高くなっています。所属先の所在地は、大阪・京都・静岡・茨城などの大都市圏や、北海道・宮城・島根といった地方圏も見られ、広域かつ多様です。創業年を見ると多くは二〇〇一年以降であり、地方参加者は首都圏参加者よりもさらに新しい企業に所属しています。

所属先との関係については、非IT系一般企業や教育・研究機関、公的機関等の所属者がそれぞれ数名いるため、IT企業所属率が七〇・六%と首都圏参加者よりも二〇%ほど低くなっています。そして大企業所属率は従業員数一〇一名以上が八・八%、資本金五〇〇〇万円以上が二〇・六%と、いずれも首都圏参加者よりも低い数値です。そして役職・仕事内容は、技術職率が八二・四%で首都圏参加者よりやや低い一方、管理職、経営者、フリーランスの割合が相対的に高くなっています。本類型の年齢層がやや高いのは、管理職や経営者層が比較的多いことを反映しているのだといえるでしょう。参加の意識としては、管理職や経営者やフリーランスが多いことからか「所属先の代表」の回答率が四七・一%で首都圏参加者より高いという特徴もあります。

他の会合への参加経験をみると（表11）、まず場所を問わず、他会合に参加した経験がある者は九一・二%であり、首都圏参加者の値より高くなっています。そして地方参加者のおよそ五割が、東京都内および首都圏内への参加経験を持ちます。一方で地方の会合への参加率は七三・五％で、参加者全体の数値（二八・五％）より著しく高くなっています。これは地方参加者が地元の会合へ積極参加しているからだとも考えられますが、所属先の所在県外の会合への参加率も七〇・六％を示し、海外会合への参加経験を持つ者も八・八％（三名）と少数ながら存在します。すなわち、地方参加者は首都圏参加者よりも様々な会合へ積極的に参加する傾向が強く、しかも東京都だけでなく様々な地域の会合に参加していることがわかります。事例会合に参加しているのも、そもそもこの人々が様々な地域の会合に積極参加する人々だからだともいえるでしょう。

最後に参加目的については、おおむね首都圏参加者と同様です（表12）。主な参加目的は、知識獲得と人的交流に関する諸点にあり、ビジネス目的の参加者も少数存在します。首都圏参加者との違いとして、各種ビジネス目的や「自分の技術的知識の伝達」など特定の内容のみに対して高い目的意識を持つ者も複数存在します。地方参加者はより高い時間的・金銭的コストをかけて参加しているため、より高い目的意識があるのかもしれません。

海外参加者の特性

最後に海外参加者についてです。海外参加者は一五名に限られるので、詳細に分析するというよりも全体的な特性をまとめたいと思います。

海外参加者は全員がプログラミング経験を持ち、SNSを利用している点は他の参加者と同様です。海外参加者の年齢層は首都圏参加者よりやや高いものの、ほとんどは二〇代と三〇代です。なお日本人も三名含まれます。所属先の所在地は、アメリカ（七名）、台湾（一名）、フィリピン（三名）、シンガポール

（二名）、オーストラリア（二名）と環太平洋地域に広がり、創業年は二〇〇六年以降に創業した企業に所属する者が多く、類型間では最も新しい企業に所属している傾向がうかがわれます。

そしてほぼ全員がＩＴ企業に勤務する技術職ですが、管理職や経営者も存在します。参加形態として最多なのは「分けられない」でした（六六・七％）。ただし管理職や経営者が含まれるためか、「所属先の代表」の回答者も二六・七％存在し、他方「個人として」の回答率はわずかでした。

過去の会合参加経験については、一五名全員が他の会合への参加経験を持ちます。さらに一五名中一二名は海外、つまり日本国外の他の会合に参加した経験があります。日本国内の会合については、東京都および首都圏内の会合へ参加したのはいずれも一〇名です。一方、地方の会合に参加したことがあるのは二名のみです。したがって海外参加者は、国内の会合については都内への参加がほぼ全てということになります。いずれにせよ海外参加者は、そもそも国境を越えてまで事例会合に参加している人々ですから、地方参加者以上に、様々な地域のコミュニティで活動する人々だといえるでしょう。

最後に参加目的については、首都圏参加者とくらべて、海外参加者は知識獲得に関する目的の回答率が他の類型より一〇％強高く、また人的交流に関する項目も同様です。特に「新たなプログラミング仲間の獲得」の回答率は高く、また「自分の技術的知識の伝達」や「ＯＳＣへの貢献」の回答率も高いことがわかります。これらの一方で「雇用先獲得」などビジネス上の実益獲得はあまり目的とされていません。すなわち海外参加者は、これら実益獲得を除く諸点において、より高い目的意識を持つといえます。

2 東京都の大規模技術者コミュニティの意義

知識獲得と人的交流の意味

ここまで見てきたように、会合Fには地方や海外からの参加者もいましたが、主には東京都内のITベンチャーに勤務する情報技術者が参加し、その主な目的は知識獲得と人的交流にありました。

ではこうした技術者たちは知識獲得と人的交流に、具体的にはどのような意義を見出しているのでしょうか。さらには、技術者を雇用したりコミュニティを経済的に支援しているITベンチャーは企業としてコミュニティや会合をどのように評価しているのでしょうか。ここでは参加者と企業の証言からそれを分析していきます。なお以下の証言者と事例企業は、特に断りのない限り、いずれも東京都内のITベンチャーとそこに所属する情報技術者です。

「知識獲得」の意味を検討するにあたって、便宜的に「知識」を「具体的知識」と「抽象的知識」の二種類に分けて考えます。前者はいわゆる「知識」であり、後者は「知識に関する知識」すなわち「今後重要な知識は何か」に関する知識です。ここでは「具体的知識」はソフトウェアの構築方法や同業企業の戦略など「知識そのもの」を意味し、「抽象的知識」は、Ｒｕｂｙ等の諸技術や個別企業ないしＩＴ産業全体の「動向」などがあたります。

具体的知識の獲得に関しては、

「カンファレンス（会合）で得た知見を社内のチーム四～五人で共有して、仕事で試す。その結果をフィードバックして会社全体で共有するという制度が社内にある（参加者①）」

といったように、会合Fを社内の具体的知識の補完の場とするような意見が得られます。抽象的知識の獲得としては、

「Rubyについてよく分かっていないので、会合Fに出て今のRubyの傾向を自分の目と耳で知りたいと思って参加した（参加者②）」

「Rubyはコミュニティが活発なので、コミュニティに関わっていないと最新の状況から置いていかれてしまう（A社）」

など、Rubyの技術的動向の把握を重要視する企業や参加者が見られます。

これらに対して人的交流としては、

「会合Fは『熱量』がある場なので、（私は）参加するとモチベーションが高まる。それが目的（参加者③）」

「（私は）モチベーションを得る、高めるために参加している（参加者④）」

会合Ｆへの経済的支援
- 協賛
  - …43社該当
  - …10～100万円／社の支払
  - →運営費の直接負担
- 社内人材への参加補助
  - …108人・59社該当（除フリーランス）
  - …参加費，交通費，宿泊費
  - →運営費の間接負担

図９　会合Ｆへの経済支援の方法（2014年）

（聞き取り調査により作成）

といった参加者の意見が得られています。すなわち変化の激しいＩＴベンチャーにおいて、特に先駆的に知識や技術を研鑽しようとする企業や情報技術者にとっては、会合Ｆは具体的知識だけでなく抽象的知識の獲得や、モチベーションを生み出す相互触発の場としての意義があるといえます。

ＩＴベンチャーがコミュニティを支援する理由

事例会合はＩＴベンチャー等からの経済的支援によって運営されています。

その支援の方法は二種類あり、協賛企業になるか、自社の社員の会合Ｆへの参加費用を支払うかです。いずれか一方だけでなく、両方が可能です（図９）。

これらの経済的支援の実施状況を見ると、事例会合における協賛企業は四三社で、うち四一社がＩＴベンチャーです。東京都の企業だけではなく、北海道や福井県、島根県、福岡県のほか、海外の企業からも協賛金が得られています。また調査対象者のうち会合Ｆへの参加のために所属先から経済的支援を受けた者は六七・九％（一〇八名）を占めています。

つまり参加者の多くは、会合Ｆに公私曖昧な態度で参加しているのにもかかわらず、その半数以上は所属先から経済的支援を受けています。逆にいえば、社員が必ずしも業務の一環として参加しているわけではないにも関わらず、経済的支援を行っている企業は少なくありません。それは、コミュニティや会合が存在し存続することが、自社にとって直接的ないし間接的に、何らかの利益をもたらすと考えているからだといえます。そこで企業がどのような理由から会合Fを支援しているのかを明らかにし、ITベンチャーが会合Fからどのような利益を得られると考えているのかを分析します。

まず挙げられるのは、会合Fが多様な情報技術者どうしの対面接触の場であるために、人材獲得の場として有効に機能するという認識です。例えば、

「採用とエンジェル（個人投資家）の獲得を目的にしている（B社）」

「主な目的はリクルーティング。いい人材を探すのは難しいので、できれば特定の人を狙って採用していきたい。そのためにはコミュニティを通じて採用するのがいい（C社）」

「Rubyコミュニティはエンジニアのレベルが高いし、他のカンファレンスでも同じ人と再会して話ができるなど、コミュニティを通したリクルーティングがやりやすい。（経営者である）自分が会合Fに来たのもリクルーティングが目的（D社）」

といった意見が得られています。

会合での対面接触では、ネット上でのコミュニケーションとは異なり、身振り手振りや表情や微妙な声色などが含まれた、繊細なコミュニケーションが可能です。なので互いの人柄や意思などをより深く理解することができると期待されます。そうした対面接触の利点は、インターネットを高度に利用できる情報技術者にとっても同様であり（あるいは、そうであるがゆえに、インターネットの限界をよりよく理解しているともいえます）、ITベンチャーは、その対面接触の利点を生かして、投資家の獲得やリクルーティングのために、会合という機会を利用しています。

こうした直接的な利益のほかに、会合Fを経済的に支援してコミュニティを支援する姿勢を情報技術者たちにアピールすること自体が、人材獲得などにおいて間接的ながら有効に機能するという見方もあります。例えば、

「会合Fを通じていい人材を得たい。そのために自社から発表者を出しているし、発表スライドの最後には求人情報を載せている。会合F経由での人材獲得の実績がすでにある（A社）」

「スポンサー（協賛企業）になるのはリクルーティングのため。オープンソースコミュニティを支援する会社はエンジニアにとって居心地のよい会社だと見做されると考えている（E社）」

「（私たちが）勉強会へ活発に関わっているのは、ビジネスチャンスを生み出すような『なんでもできる尖った人』を社内に囲っておくため。いろいろ勉強会に関わっていることは、対外的におもしろい会社として認知されるので、優れたエンジニアの採用に繋がる（F社）」

という証言が見られました。これらはつまり、コミュニティを支援している組織は、非経済的インセンティブを求める情報技術者たちに自由で開放的で先進的な組織として映り、企業はこうした技術者を惹きつける好ましい企業イメージを形成できると考えているのです。そして企業の中には会合やコミュニティは自社に具体的な利益を供するから、尊重し支援するに値すると考えるものも存在します。

「Rubyコミュニティではいい人材が得られる。そういういい環境だから、企業としてRubyコミュニティを大切にしていかないといけない（D社）」

「（私たちは）Rubyを（業務の）メインで使っていて、Rubyコミュニティから恩恵を受けている。だからRubyコミュニティに自社での事例をフィードバックして、Rubyの発展に貢献することで、『持ちつ持たれつ』の関係を作るべき（G社）」

「Rubyの利用を推進、拡大するためにRubyコミュニティに貢献して、Rubyをさらに良いものにしたいと思っている（A社）」

これらの見解では「恩恵」と「貢献」のように、非経済的インセンティブに基づく相互扶助の意識が強調されます。

情報技術者コミュニティにおける直接的な利益は、抽象的知識の獲得や相互触発、人材獲得といった諸点にありました。これらの利益は、参加者である情報技術者たちが所属組織を超えて緩やかに水平的に関係しあうこと、つまりネットワークを形成することで共有できたのだといえます。しかしながらそれはネットワークの形成のみで成立するのではなく、その根底にはここで見た証言のように、ITベンチャーや情報技術者間の相互扶助のコミュニティ意識があり、それがネットワークを形成しているといえます。

地方のITベンチャー、情報技術者の意識

これらの結果をふまえつつ、地方のITベンチャーや情報技術者が、なぜ東京の事例会合に参加するのかにも触れておきます。

すでに見たように、地方参加者は、より新しく小規模なITベンチャーに所属する、管理職や経営職を含む人々であり、地元県外の会合に積極参加する傾向を持っていました。当然のことながら、地方参加者は首都圏参加者よりも会合Fへの交通上のアクセス性が劣り、会合Fに参加するにはより多額の交通費も必要とします。地方参加者に管理職や経営職の人々がより多いのは、役職者でなければ会合Fには参加しにくいという事情があることも考えられます。

地方では会合Fにアクセスしにくい点について、例えば福岡県のITベンチャーの経営者からは、

「社員から、東京の会合に出て刺激を受けてモチベーションを高めて、そこで得た知見を業務で応用したいという声が寄せられる。そういう声があるから社員に会合Fへの参加を奨励することにした。自分もシリコンバレーでの経験からコミュニティの重要性を感じている」

という意見が得られています。また北海道のITベンチャー経営者の例では、

「札幌でＲｕｂｙの勉強をしていたらオンラインコミュニティを知って、（Ｒｕｂｙの）勉強会に参加したり勉強会を立ち上げたりしているうちに都内の『Rubyist』（Ｒｕｂｙを好む情報技術者）につながって、その人たちに会うために会合Ｆに参加してきた」

と証言しています。例が少ないので必ずしも一般化はできませんが、地方のより若く小規模な企業やその情報技術者の一部にとって、会合Ｆは地方の会合では出会えない人々との対面接触の場となる、特別な存在だといえます。それゆえ、これらの企業や人々にとって会合Ｆには、地方からあえて参加するだけの意義がある、あるいは、ＩＴ産業の東京一極集中構造のなかでは、地方からあえて参加せざるを得ないのだ、という面もあるといえるでしょう。

3　島根県のＩＴ産業振興と技術者コミュニティ

前節で見たように、東京都の大規模な会合では、東京一極集中を反映する形で多様な情報技術者が広域な空間スケールから集まり、そこで様々な利益が生み出されていました。では、東京一極集中構造において「周辺」に位置する地方圏では、コミュニティやその会合はいかなる意義を持つのでしょうか。地方圏であるにもかかわらずコミュニティが活発な地域では、なぜ、いかにしてコミュニティが活発化するのでしょうか。ここでは代表例といえる島根県のケーススタディを通して、地方圏ならではの情報技術者コミュニティの在り方を探っていきます。

島根県のＩＴ産業振興と地域活性化

島根県は人口規模と産業規模が日本で最も小さい県の一つです。人口は全国四六位（二〇一〇年）、県内総生産は四五位（二〇一二年）です。経済成長率も同様で、二〇〇二年から二〇一二年の県内総生産の増加率は四三位（マイナス一〇・七％、名目）であり、島根県は産業規模が小さいにもかかわらず、同時に、その衰退が最も著しい県の一つでもあります。

産業構成としては、島根県では、第一次産業が一・五％前後、第二次産業が二割前後を占めるのに対して、第三次産業は事業所数で八一・九％、従業者数で七六・七％を占め、産業別で最も多くなっています（表13）。ただし情報サービス業とインターネット附随サービス業、すなわちＩＴ産業が全産業に占める割合はごくわずかです。全国と比較すると、島根県の第一次産業の割合は全国平均のおよそ二倍になっています。

表14は島根県における事業所数と従業者数の二〇〇四年と二〇一四年の変化を示したものです。産業全体では事業所数と従業者数がいずれも減少しています。産業別に見ると、第一次産業は事業所数と従業者数がいずれも若干増加し、第二次産業では逆にいずれも減少しており、第三次産業では、事業所数は減少したが従業者数が大幅に増加し、とりわけ情報サービス業とインターネット附随サービス業では、母数が少ないながらも、事業所数と従業者数のいずれも増加しています。

島根県においてＩＴ産業は「周辺」的な存在であり、しかし、そのなかで着実に成長しているという状態です。

島根県ではＩＴ産業振興が政策的に進められました。二〇〇七年の県知事選でＩＴ産業振興を公約とした溝口善兵衛氏（現在は前知事）が当選し、これに前後して県と松江市行政による、Ｒｕｂｙを活用したＩＴ産業振興が発足しました。

表13　島根県と全国における産業別事業所数・従業者数構成（2014年）

	島根県		全国	
	事業所数	従業者数	事業所数	従業者数
第一次産業	1.2%	1.6%	0.6%	0.6%
第二次産業	16.9%	21.7%	17.3%	20.7%
第三次産業	81.9%	76.7%	82.1%	78.7%
情報サービス業	0.3%	0.6%	0.6%	1.7%
インターネット付随サービス業	0.0%	0.0%	0.1%	0.1%

（平成26年経済センサス－基礎調査（速報）により作成）

表14　島根県における産業別事業所数と従業者数の変化（2004年、2014年）

	事業所数			従業者数		
	2004年	2014年	差	2004年	2014年	差
全産業	39,267	36,862	-2,405	288,334	330,669	42,335
第一次産業	258	448	190	3,315	5,277	1,962
第二次産業	8,176	6,312	-1,864	89,209	71,901	-17,308
第三次産業	30,833	30,102	-731	195,810	238,908	43,098
情報サービス業	79	114	35	1,112	2,014	902
インターネット付随サービス業	4	11	7	42	146	104

注）「全産業」は公務を除く。「第一次産業」は農林漁業，「第二次産業」は鉱業，建設業，製造業，「第三次産業」は公務を除くその他を意味する。
（平成26年経済センサス－基礎調査（速報）および平成16年事業所・企業統計調査により作成）

当時のキーパーソンは、松江市職員であったA氏です。彼は、補助金を用いた従来型の企業誘致では、他の自治体との価格競争に巻き込まれる危険性があり、経済規模の小さい島根県や松江市にとっては有効でないと考えました。なぜなら企業からすれば補助金が貰えるなら立地はどこでもよく、より多額の補助金が得られる地域を選ぶからです。A氏は、この価格競争を脱するには補助金という金銭的価値では直接測れない、他の地域にはない質的な独自性や個性を生み出し演出することが必要だと考えました。そこでA氏が着目したのが、Rubyの開発者の松本氏が島根県に在住しているという事実と、それゆえに島根県が情報技術者たちから特別な存在だと考えられてきたことです。

A氏は自身もＲｕｂｙのユーザーだったこともあり、松本氏の協力を仰ぎつつ、Ｒｕｂｙを地域資源として位置づけます。二〇〇六年にA氏と松本氏およびその所属企業と島根大学は、産学官連携として「Ruby City MATSUE」プロジェクトを開始しました。二〇〇六年七月から、松江駅前に「松江オープンソースラボ（以下「オープンソースラボ」と表記）」という、地域のＩＴ産業に関わる人材の交流や育成の拠点が設置され、またＯＳＳ開発をめぐる企業間・人材間の協働促進を目的とする組織として「しまねＯＳＳ協議会（以下「協議会」と表記）」が結成されました。協議会は島根県内におけるＯＳＳに関わる企業・情報技術者・研究者・ユーザーから構成され、二〇一五年七月時点で二九の法人と個人三一名が入会しています。協議会はオープンソースラボにて交流促進活動を行う主体となり、国内外から講師を招聘し、最新の技術動向や他地域の取組、ＯＳＳを活用したビジネス等を紹介するなどの取り組みを行いました。

ただしRuby City MATSUEプロジェクトの性格は、Ｒｕｂｙのいわゆる「地域ブランド化」や、それを用いた「地域情報発信」としての面が強く、本格的な地域的ＩＴ産業振興としての性格は必ずしも強くはありませんでした。

本格的なＩＴ産業振興は、こうした松江市の取り組みに続く形で、溝口氏のもとで島根県行政が実施してきました。県が当初注目したのは、ＩＴ産業の事業成立における地理的制約の小ささ、つまり「人とＰＣとインターネットがあればＩＴ産業はどこでも成立する」という特性でした。

しかしながらそれは先の補助金による企業誘致政策と同様に、「どこでも成立するなら島根県を選ぶ必要は薄い」というパラドクスを抱えます。「ＩＴ産業の地理的制約の小ささ」を生かしたＩＴ産業の地域的振興は、事実上どの地域でも可能です。単に島根県にＩＴ産業拠点を設置し大都市の下請け事業を拡大しても、それは相対的に小規模な自治体である島根県にとってはやはり価格競争に巻き込まれやすく、地方圏の条件不利性の克服という点では結局、有効になりにくいものです。そしてそれに対抗する手段もまた、補助金の件と同様に、島根県ならではの質的な個性の創出・育成にあります。

島根県はこうした認識のもとで、ＩＴ産業の地理的制約の小ささだけに注目するのではなく、Ｒｕｂｙを島根県ならではの地域資源として積極活用することを通じて、下請けではなく、人材育成を通してＩＴ産業の高付加価値化を推進してきました。

島根県のＩＴ産業

島根県には二〇一四年一一月時点で九五社のＩＴ企業が立地しています。島根県の経済は松江一極集中であり、それを反映して、九五社のうち六一社が松江市に立地しています。

この九五社のうち拠点の所在地が不明な二社を除いた九三社を、立地している地域（松江市内か否か）と、本社所在地（島根県内に本社がある「県内企業」かそうでない「県外企業」か）で分類すると、「松江・県内型（四〇社、四三・〇％）」「松江・県外型（二一社、二二・六％）」「非松江・県内型（三〇社、三二・三％）」「非松江・県外型（二社・二・二％）」となります（表15）。ここから分かることは、県内企業の半数以上は松江市に集中して立地し、さらに県外企業はそのほぼすべてが松江市に立地しています。また「松江・県内型」と「非松江・県内型」の大企業率は一割前後に留まっていますが、「松江・県外型」の大企業率は五割前後と高くなります。

したがって島根県のＩＴ企業は、①県内企業と県外企業のいずれも松江市に集中して立地しており、特に県外企業においてその傾向が強いこと、②松江市に集中するＩＴ企業は、中小企業を主とする県内企業と県外の大企業の両者から構成されることがわかります。

表15　島根県における IT 企業の大企業率（2015年）

	松江・県内型		松江・県外型		非松江・県内型		非松江・県外型	
	該当数	該当率	該当数	該当率	該当数	該当率	該当数	該当率
全体	40	43.0%	21	22.6%	30	32.3%	2	2.2%
大企業該当率	7	17.5%	15	71.4%	3	10.0%	0	0.0%
従業員数101人以上	4	10.0%	10	47.6%	1	3.3%	0	0.0%
資本金5,001万円以上	6	15.0%	14	66.7%	3	10.0%	0	0.0%
資本金 5 億円以上	0	0.0%	5	23.8%	0	0.0%	0	0.0%

注）立地先の不明な 2 社は本表に含めていない。

（島根県および各社資料により作成）

図10は各類型におけるＩＴ企業の創業年をまとめたものです。「松江・県内型」では、一九八〇年代末までに創業した比較的古い企業のグループに加えて、二〇〇〇年代以降に創業したベンチャー企業のグループが存在します。「松江・県外型」でも、二〇〇〇年代以降に創業したベンチャー企業のグループがより多く認められます。「非松江・県内型」の創業年は一九八〇年代以降の各年代に分散しており、「非松江・県外型」は二社のみですが、ともに二〇〇〇年代の創業です。島根県には比較的古いＩＴ企業も存在しますが、より多いのは二〇〇〇年代以降に創業したベンチャー企業です。特に松江市内では、県内企業と県外企業のいずれも、より新しい企業が多く認められます。島根県のＩＴ企業は松江市内への集中傾向を示し、松江市内には県外の大企業や県内外のＩＴベンチャーが併存して立地しています。

さらに表16は、島根県における「県外企業」の拠点配置をまとめたものです。これを見ると、Ｈ社、ＳＬ社、Ｓ社、Ｄ社のように、全国各地の拠点配置の一部として島根県に拠点を配置している企業も見受けられます。しかしその一方で、表中のＭ社以下では、島根県の他に地方圏に拠点を置く例は、Ｋ社、ＤＳ社、ＦＡ社を除いて認められず、それよりも拠点配置パターンとして、東京都や大阪府等の三大都市圏に本社や少数の拠点を配置しその他には島根県にのみ拠点を配置するものが見られます。こうした

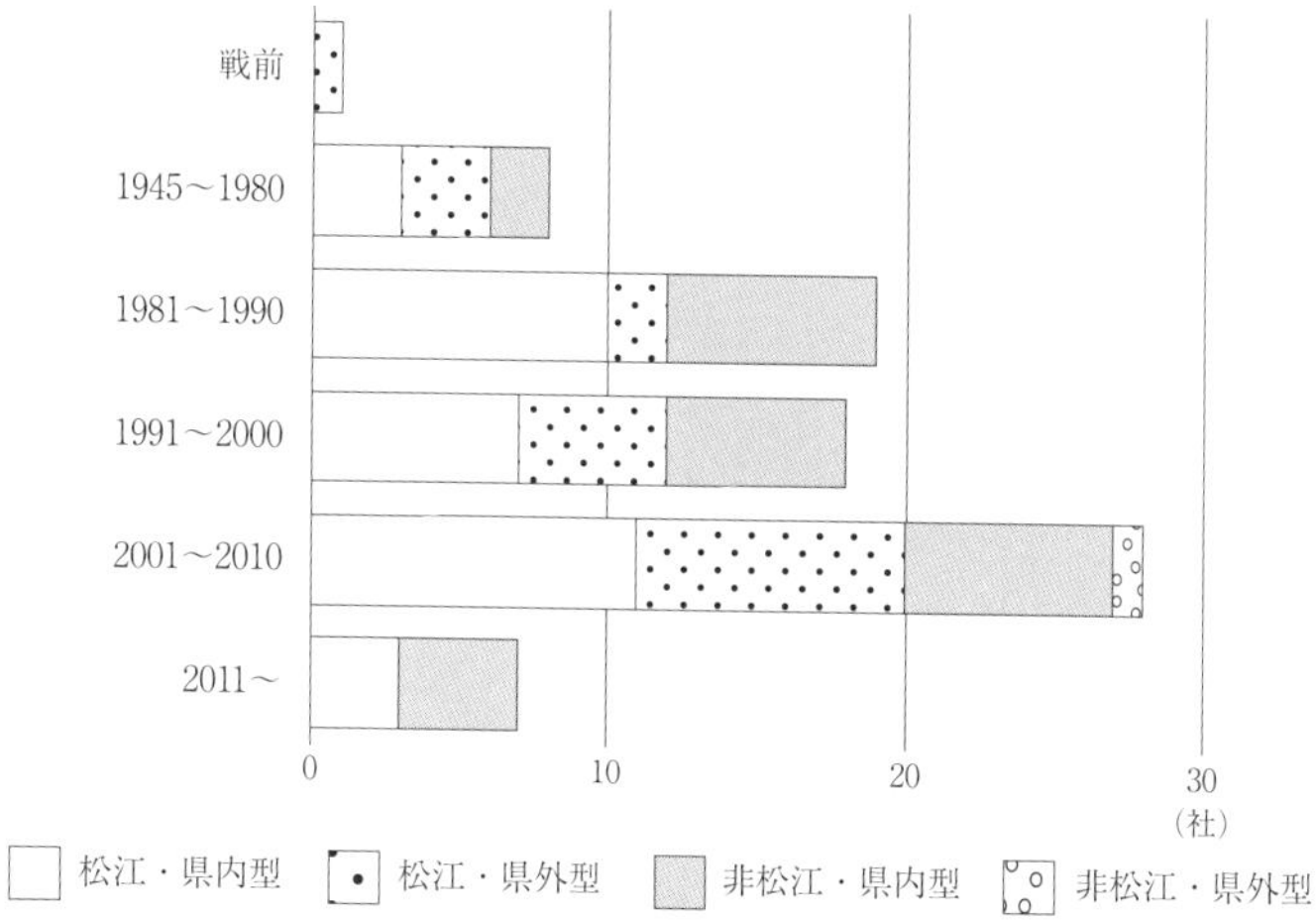

図10　島根県におけるIT企業の創業年（2015年）
（島根県および各社資料により作成）

「三大都市圏の拠点と島根の拠点」から構成される企業は二一社中一三社で、このうち「東京都の本社と島根県の拠点」から構成される企業だけでも七社が数えられます。島根県内の拠点名は、「松江データセンターバンク（I社）」「島根開発拠点（M社）」「島根R＆Dセンター（G社）」「松江テクニカルセンター（HS社）」「島根開発室（A社）」となっています。名前だけで組織内の役割がすべて分かるわけではありませんが、島根県内の拠点が研究開発拠点として位置づけられていることもうかがわれます。

　つまりこれらの拠点配置の空間的パターンや拠点名は、県外ＩＴ企業から、ほかでもない島根県への立地が積極的に選択されていることを意味しています。そしてそれは、島根県や松江市において、ＩＴ産業や情報技術者を誘引する何らかの魅力があるからです。その魅力とは、本章ではもちろん情報技術者コミュニティであるわけですが、島根県においてコミュニティがいかなる文脈で発達していき、なぜＩＴ産業や情報技術者たちへの魅力になっているのかを続いて分析します。

表16　島根県における県外 IT 企業の拠点配置（2015年）

社名（仮名）	資本金（億円）	従業員数	創業年	本社所在地	島根県内の拠点名	その他国内拠点（島根県除く）
H 社	4,587.9	333,150	1920	東京都	中国支社山陰支店	全国各地
I 社	229.6	2,835	1992	東京都	松江データセンターバンク	大阪府，愛知県，福岡県，北海道，宮城県，神奈川県，富山県，広島県，愛知県，沖縄県
H 社系列 SL 社	200.0	11,426	1970	東京都	不明	全国各地
H 社系列 S 社	191.6	17,995	1962	東京都	山陰営業所	全国各地
D 社	118.1	1,424	1982	大阪府	松江支店	全国各地
M 社	1.2	172	2006	東京都	島根開発拠点	なし
G 社	1.0	21	2009	東京都	島根 R&D センター	なし
F 社	1.0	159	2005	大阪府	島根支社	東京都，愛知県
K 社	0.9	250	1975	鳥取県	島根支店	岡山県，広島県
DS 社	0.9	128	2004	東京都	松江システム開発課	大阪府，北海道
SS 社	0.9	27	1987	東京都	島根サテライト・オフィス	大阪府
CS 社	0.8		2006	愛知県	松江オフィス	滋賀県，大阪府
HS 社	0.7		1992	東京都	松江テクニカルセンター	なし
C 社	0.4		1998	東京都	松江センター	埼玉県
A 社	0.3	75	2003	東京都	島根開発室	なし
TI 社	0.2	183	1991	東京都	不明	大阪府
IP 社	0.1	61	2007	東京都	出雲支店	なし
N 社	0.1		2003	大阪府	島根支社	なし
FA 社	0.1		2007	広島県	松江営業所	東京都
SW 社	0.06		2005	東京都	島根支店　島根スタジオ	なし
CC 社			2009	東京都	松江オフィス	なし

注）空欄部は不明。　　　　（各社資料により作成）

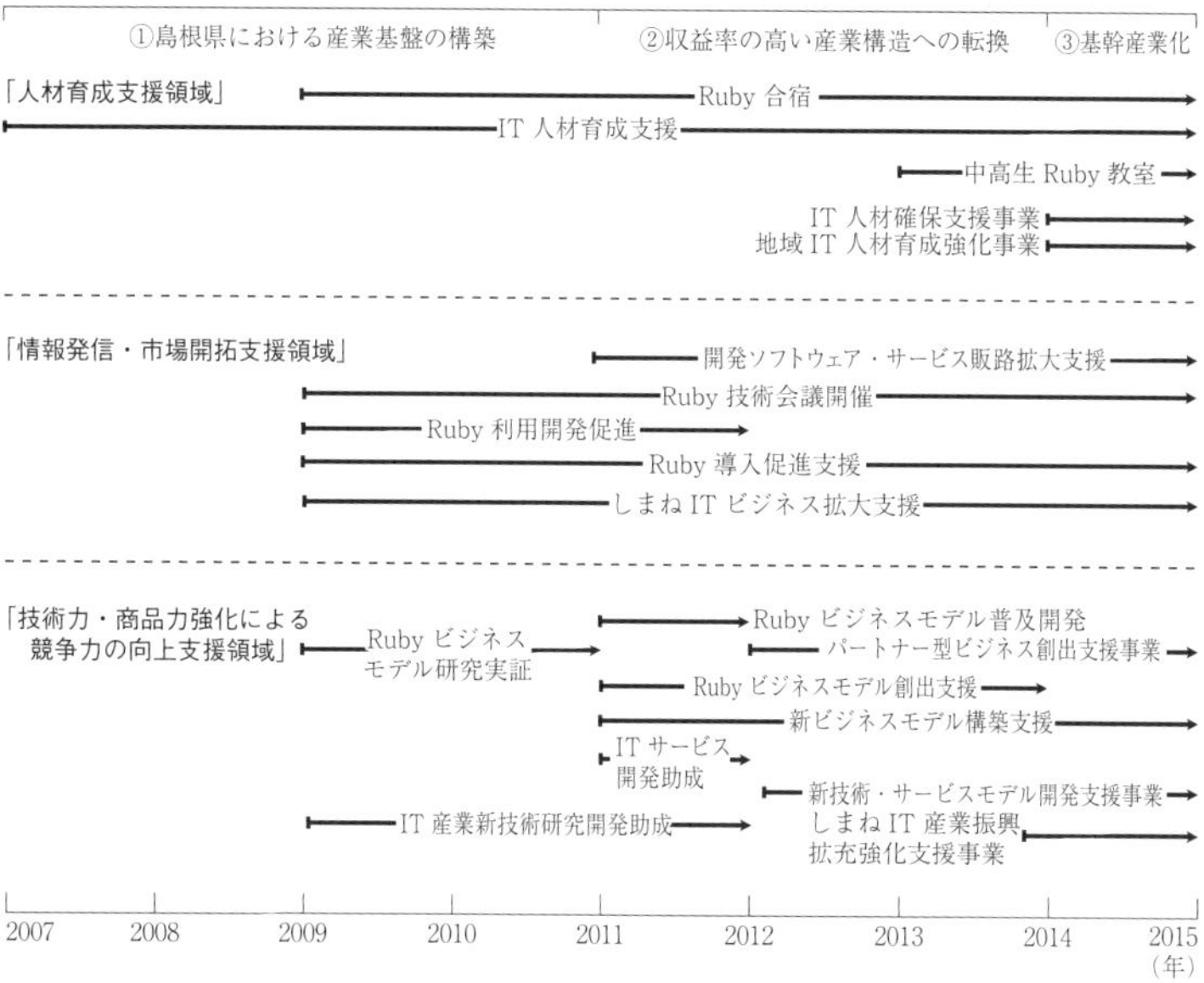

図11　島根県における IT 産業振興策の展開（2007～2015年）
（聞き取り調査および島根県資料により作成）

島根県におけるＲｕｂｙの活用と人材育成

島根県のＩＴ産業振興のなかで最も力が入れられているのは、人材育成です。

図11は島根県が実施してきたＩＴ産業振興策を一覧化したものです。二〇〇九年以降、「人材育成支援領域」「情報発信・市場開拓支援領域」「技術力・商品力強化による競争力の向上支援領域」の各領域においてＲｕｂｙの名を冠した施策が実施されており、同じ時期には「技術力・商品力強化による競争力の向上支援領域」すなわち高付加価値化の支援事業も展開しています。

こうした諸施策の中でも、ＩＴ人材育成は最初期から一貫して実施されてきた根幹的な施策です。人材育成が最重要視されていることは、島根県の総合発展計画からも読み取ることができます。二〇一二年の「第二次実施計画」では、「下請け依存体質」から脱却し、自社固有の商品やサービスの構築という

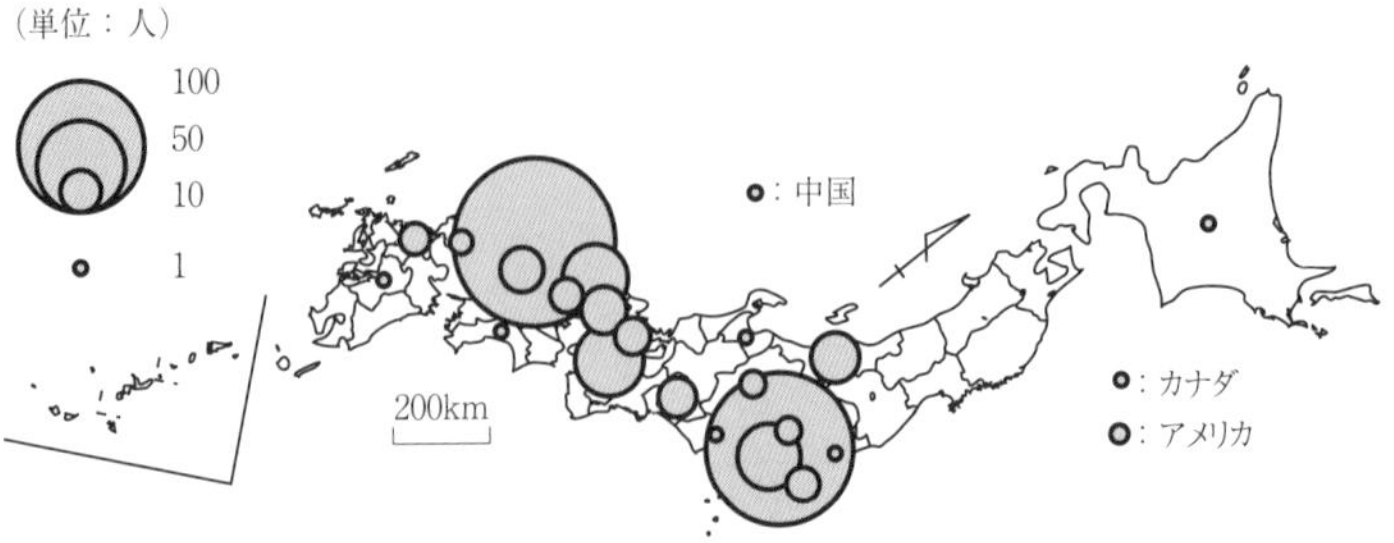

図12　会合R参加者の所属先所在地（2013年）

（運営者提供資料により作成）

表17　会合Rの参加者の概要（2013年）

項目	該当者	
	人数	割合
所属先の種類		
［一般企業］IT 系	172	71.7%
公的機関	19	7.9%
教育・研究機関	16	6.7%
個人参加	13	5.4%
［一般企業］非 IT 系	7	2.9%
その他機関	7	2.9%
無回答	6	2.5%
所属先での役職		
技術職	112	47.1%
管理職	38	16.0%
経営者	29	12.2%
事務職	27	11.3%
事業責任者	18	7.6%
無回答	14	5.9%
所属先での Ruby の利用状況		
利用中	189	78.8%
利用検討中	18	7.5%
利用予定なし	17	7.1%
利用予定	13	5.4%
無回答	3	1.3%
会合Rの認知方法		
ネット	98	40.8%
個人的な勧誘	73	30.4%
宣伝	48	20.0%
その他	15	6.3%
無回答	6	2.5%

（運営者提供資料により作成）

高付加価値化を実現することが目標として掲げられ、その手段として、Rubyをはじめとする OSSを活かした開発手法の習得の支援、つまり人材育成が挙げられています。

また、図11に書かれているように、松江市では二〇〇九年からRuby技術会議（会合R）が開催されています。この会議には、二〇一三年の開催時には、島根県および東京都を中心に全国から六一九名が参加し、その参加者アンケートの結果によれば、ほとんどがRubyを利用しているIT企業に所属しています（図12、表17）。島根県におけるRu ｂｙの利用企業に焦点を当てたＩＴ産業振興は、県外のＩＴ企業からも注目されています。

前章で論じたように、一般的に地方圏のＩＴ産業は、東京圏を中心とする需給の循環構造の中で、技術水準の高い人材の確保が困難であることや、顧客側においてＩＣＴという商品の価値への理解が不十分であることなども背景に、高付加価値化が容易ではない状況にあります。しかしながら、こうした地方圏の条件不利性の中で松江市と島根県の行政は、地域の資源としてのＲｕｂｙをめぐって、地域のＩＴ企業や情報技術者が結集する具体的な場を創出し、そこで人材を育成することに注力してきました。

ではそうしたＩＴ企業や情報技術者が集まる場が、実際にいかに活用され、そこにいかなる意義があるのかについて、実態分析を行っていきます。

島根県の情報技術者コミュニティ

ここでは、島根県の技術者コミュニティの会合の代表例として、前述のオープンソースラボで開催されている会合Ｍの実態を分析します。

会合Ｍは松江市で二〇〇八年六月から毎月一回開催されている小規模な会合であり、現地調査を行った二〇一四年四月末までに五〇回開催されています。島根県には他にも会合が存在しますが、会合Ｍはその中でも最も古いものの一つです。オープンソースラボで開催されるため参加費は無料であり、個人によるボランティアで運営されます（表18）。

運営者は三名で、いずれも松江市に居住し、松江市内のＩＴベンチャーに勤務する三〇代の情報技術者です（表19）。会合Ｍの設立者のａ氏は、松本氏とおなじ企業に所属していますが、この企業は協議会の発起人であるなど、島根県におけるＩＴ産業振興を牽引する企業の一つです。

表18　会合Mの概要（2014年）

概要	
開催地	島根県松江市
開催日数	1日
開催曜日	土
初開催年	2008年
位置づけ	ローカルユーザーグループ
開催回数	50回
開催頻度	月1回
参加費	無料
懇親会の有無	×
会場	
会場の所有者	松江市
会場	貸会議室
Wi-Fi	○
運営者	
主催者の種類	個人
運営者数	3人
運営体制	ボランティア
運営資金	
協賛制度	×
協賛団体・企業数	0
発表者	
対象言語	Ruby
発表者数	不定
発表者構成	依頼＋公募
審査通過率	
外国語対応	–
対応外国語	なし
外国語対応	なし

（聞き取り調査および会合M資料により作成）

設立の経緯について、a氏は二〇〇六年から二〇〇七年にかけて、海外や東京等の大都市で、Rubyの国際カンファレンスやローカルユーザーグループやその他各種の勉強会が開催されていることを、インターネットを通して知っていました。同時にa氏は、それらに参加した情報技術者の感想をブログやSNSで閲覧し、自身も勤務先で社内勉強会を開催することを希望します。

しかし当時の松江市ではオープンソースラボが活発に利用されていないことが問題視されていました。そのためa氏が社内勉強会の開催について勤務先の経営者に相談したところ、経営者からオープンソースラボの利用促進という面から、社内勉強会ではなく、同施設を使用したローカルユーザーグループの設立を提案され、その結果として、会合Mが設立され、継続的に開催されることになりました。

こうした、代表者が他の地域でのコミュニティやその会合の存在や意義を知り、同様の会合を自らが生活する地域で開催しようとしたという経緯は、先の東京都の例と共通しています。異なるのは、島根県（松江市）では先行するIT産業振興政策と利害が一致する形で、地域政策と合致する形でコミュニティ

表19　会合M参加者の一覧（2014年）

名称	運営者	年齢	出身地	就業地	居住地	学歴・専攻		普段の業務							SNS		他会合	
								業種		職種								
								PG	IT系	非IT系	技術職	事務職	管理職	経営者	Twitter	GitHub	参加経験	運営経験
a	○	30代	広島県	松江市	松江市	高専卒	情報工学	○	○		○		○		○	○	○	○
b	○	30代	浜田市	松江市	松江市	大卒	コンピュータ理工学	○	○		○				○	○	○	○
c	○	30代	松江市	松江市	松江市	大卒	南米研究	○	○		○			○	○	○	○	○
d		40代	大阪府	尼崎市	尼崎市	大卒	法学	○		○			○			○	○	
e		20代	雲南市	雲南市	雲南市	高卒	情報技術	○		○		○			○	○	○	○
f		30代	松江市	松江市	松江市	大卒	法学	○				○		○	○	○	○	○
g		40代	出雲市	松江市	出雲市	大学院卒	Computer Science	○	○		○			○	○	○	○	○
h		不明	松江市	松江市	松江市	大卒	経営学	○	○		○					○	○	○
i		20代	雲南市	松江市	松江市	高専卒	情報工学	○	○		○				○	○	○	
j		40代	松江市	松江市	松江市	大学中退	工業化学	○	○		○			○	○	○	○	○
k		10代	松江市	なし	松江市	中学生	なし	○								○	○	
m		30代	出雲市	松江市	松江市	短大卒	情報処理	○	○		○					○	○	

注）○：該当　空欄は該当なし　（聞き取り調査により作成）

が展開した点です。

設立直後の会合Mでは、a氏は著名な情報技術者を県外から招待した講演会やRubyの初心者向けセミナーなど、技術的講演による情報提供を主に行ってきました。しかし会合Mを業務時間外にボランティアとして運営しているa氏にとって、毎月新しい情報技術者を県外から招待することは容易ではありません。またa氏も一人の情報技術者として自身の技術的研鑽を求めていましたが、当時の会合Mでの活動内容は参加者がただ講演を聞くだけであり、それはa氏自身にとって技術的研鑽の面で効果が薄いという問題もありました。

そこでa氏は運営方針を転換し、情報技術者を招待した技術的講演は行わないこととして、「月に一度だけ、会合Mの時間だけは家族を忘れてRubyに向き合うという大切な時間を作る（調査時の証言より）」という、各自の技術的研鑽と交流の場を提供することを会合の目的としました。そ

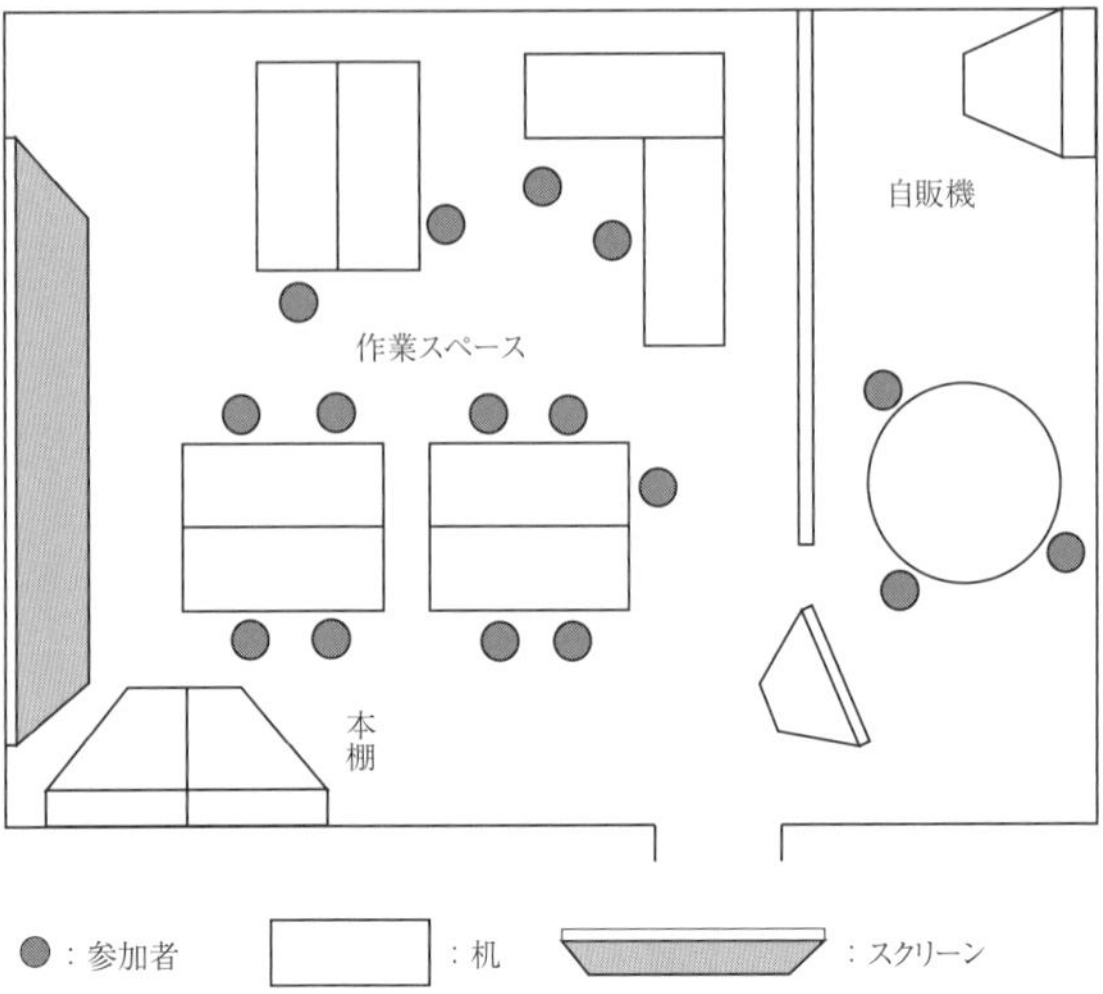

図13　会合Mの会場図（2014年）

（現地調査により作成）

のため会合Mは、講演用のスクリーンこそ存在するものの、会場全体が作業スペースとして構成されています（図13）。つまり運営上の負担軽減を目的として柔軟に運営されることで、継続的に開催されています。

ただ一般的に、こうした小規模会合では参加者が固定化し、新たな知見が得られにくく、有意義ではない場に変質してしまう危険性を持っています。そのためa氏が「ずっと同じ人だけでいつものネタだけで話していると、コミュニティがだめになってしまう」と語るように、会合MではWebサイトやSNSを用いた対外的な情報発信によって、新規参加者の受け入れに取り組んでいます。また活動を有意義なものにするため、年に一度「M会議」という、より大規模な会合を開催し、会合M参加者には、そこで自らの活動成果を発表し地域内外で共有することが求められます。さらに近年では「中学生向けプログラミング講習会」など、会合Mでの活動を母体とした新しい活動のスピンオフが進んでいます。

事例会合の参加者たち

現在、会合Mには各回一五名前後が参加しており、現地調査では参加者一三名のうち一二名から回答を得ました（表19）。

年齢は、参加者は三〇代を中心とした若い世代であり、就業地は、学生を除く一一名のうち一〇名が島根県内であり、残りの一名は兵庫県尼崎市です。島根県のローカルな会合に、一名とはいえ尼崎市からの参加者がいることは注目されます。所属先についてはＩＴ企業が最多ですが、非ＩＴ系の一般企業や学生もいます。職種は技術職のほかにも事務職や管理職も含まれ、経営者もいます。会合Ｍは継続的に開催される小規模でローカルな会合であるため、互いに見知った人々との交流を深めながら自らの技術的活動を行うことが、参加者の主目的となっています。

また会合Ｍでは、全ての参加者が会合Ｍ以外の会合にも参加しています。十二名のうち八名は県外の会合に参加しており、広島県や岡山県など近隣県に加えて、大阪府と東京都の会合にも参加しています。ａ氏は海外の会合にも参加しています。会合Ｍはローカルな会合ですが、参加者の活動の空間的範囲は決してローカルではなく、大都市圏や海外にもかかわるものだといえます。

さらに参加者のうち八名は島根県内で「山陰ＩＴｐｒｏ勉強会」「ＡＷＳ勉強会島根支部」などの会合にも運営者として参加しています。ａ氏はその理由を、会合Ｍが情報技術者の会合としては島根県で最も古い部類になっていることを背景に、その参加者が他会合の設立や運営への参加を打診されることが多いことを挙げています。つまり参加者が、技術者コミュニティやその会合の設立や運営のスキルに長けていると地域内で評価されているということです。

4　島根県のローカルなコミュニティの意義

こうした技術者たちが集まる事例会合では、実際にどのような活動が行われているのでしょうか。ここではその活動の意義を、サクセニアンの議論を参考にしながら考えます。Saxenian（1994, 2007）はシリコンバレーの情報技術者コミュニティにおける諸活動の意義を、新規事業や取引活動、教育活動の創出に注目して説明しています。それを踏まえて、新規事業や取引活動の創出を「直接的意義」とし、教育活動の創出を「間接的意義」とします。以下では直接的意義と間接的意義が、会合Mでの活動を通してどのように創出されているのかを検討します。

直接的意義

新規事業創出の例として、唯一の県外参加者である兵庫県の製造業経営者であるd氏が挙げられます。d氏は家業として製造業の企業を経営していますが、前職で一〇年ほどＩＴ企業に勤務した経験があります。それを生かして、今後のＲｕｂｙを活用した新規ＩＴ事業の設立と松江市への事業所設置を目的として、会合Ｍにて、クラウドサーバーサービスをＲｕｂｙで開発しています。d氏が兵庫県から会合Ｍに来ているのは、島根県でＲｕｂｙの活用が盛んであることを知り「せっかくだからＲｕｂｙで何か作ってみたい」と考えたためです。島根県のＩＴ産業振興やコミュニティ育成が他地域にも知られている一例です。

松江市のIT企業に勤務するi氏は、会合Mでは、勤務先で開発したソフトウェアを参考にして、Rubyを用いてソフトウェアを開発しています。開発を会合Mで行うことについてi氏は「自宅でもできる作業」と評していますが（d氏も同意見です）、それでも会合Mで開発するのは、会合Mには優れた情報技術者が集まっており「詳しい人が来ている（i氏）」「刺激を受けるし、勉強できる機会がある（d氏）」からだと述べています。

これらの活動や意見からは、会合Mでは、参加者が対面接触を介して直接に技術や知識を獲得できることが期待されているとわかります。また両者の例は、会合Mが、所属先の異なる様々な情報技術者が同じ場でプログラミングを楽しむ環境であることによって、参加者の技術や知識を研鑽するモチベーションが喚起されることを示しています。ただし調査段階では、会合Mでの活動によって商用ソフトウェアが開発された例や、企業間の共同開発等に直接至った例は認められません。また参加者間で新たな取引活動が創出されたという例は、現地調査では、松江市のIT企業経営者であるj氏からしか得られていません。

すなわち会合Mでは、参加者が新規事業や新たな取引活動を創出していること自体は認められます。また新規事業創出の原動力となるような、対面接触を介した技術や知識のやりとりやモチベーションの喚起が発生しています。これらのことは会合Mにおける直接的意義として理解できるでしょう。しかしこうした例は限定的であり、新規事業や取引活動の創出といった面では、会合Mは発展途上にあります。

間接的意義

間接的意義、つまり教育活動について見ていきます。

松江市のIT産業に勤務するm氏の例では、二〇〇九年に社内でRubyを活用したシステム開発に携わりましたが、当時は自身も勤務先もRubyに関する十分な技術的知識を持っていませんでした。そのためRubyを学習する必要にせまられたm氏は、上司から会合MをRubyの学習の場として紹介されたことをきっかけに、この会合に参加しています。またe氏は、県内の高校に通っていた際に担任教諭からRubyを勧められたことから、趣味としてRubyの学習を始めた技術者です。現在e氏は製造業の事務職ですが、Rubyの学習を機に島根県内のIT企業への転職を考えています。e氏はSNSを通じて、島根県職員からRubyを学習する場としてM会議を紹介され、参加し、そこで会合MにRubyの学習環境が整っていることを知り、会合Mに参加しました。m氏とe氏の会合Mへの参加の経緯からは、Rubyに関心を持つ県内の企業や情報技術者から、会合MがRubyの学習の場として認知され紹介されていることがわかります。

また会合Mでの活動が派生して、教育活動を専門に行う新しいコミュニティや会合が生まれる事例も見られます。h氏は、「RailsGirls」という世界各都市で開催されている女性向けのRuby勉強会を、二〇一三年に会合Mの参加者とともにオープンソースラボで開催しています。h氏はRailsGirlsを松江市で開催するために必要なRubyの指導役を募る目的で会合Mに参加しました。またh氏は二〇一四年六月からは、女性向けのプログラミング勉強会をオープンソースラボで毎月開催しています。この勉強会は会合Mと同日・同会場で開催し、会合Mの参加者との交流や指導を受けることができるようにしています。この勉強会の企画時にも、h氏は会合運営経験の豊富な会合M参加者の協力を求めています。例えばこの女性向け勉強会を会合Mと同時開催とする案は、c氏の意見によるものです。

また運営代表者であるa氏は、会合Mの他参加者とともに、二〇一四年四月に小中学生向けのプログラミング教育を行う「Ｒｕｂｙプログラミング少年団」を設立するなど、Ｒｕｂｙを活用して地域の子ども向けのプログラミング学習に取り組んでいます。さらにａ氏は二〇一四年に、小中学生向けのプログラミング学習ソフトウェア「Smalruby」を会合Ｍでｊ氏やｋ氏等と開発し、会合Ｆや、島根の会合Ｒ、アメリカのRubyConferenceに参加し、このＲｕｂｙプログラミング少年団の活動内容やSmalrubyの技術的情報を東京圏や海外の技術者たちに紹介しています。こうした活動は二〇一四年当時から先進的なプログラミング教育の取り組みだと評価され、「福岡県Ｒｕｂｙ・コンテンツビジネス振興会議」の大賞・福岡県知事賞や、「ごうぎん起業家大賞」の「地域の賑わい創出部門」を受賞しています。

会合Ｍの参加者によれば、こうした会合Ｍから派生した諸活動が成立する上では、先のＡ氏の後任者である、島根県と松江市の職員二名の精力的な支援が不可欠であったと言われています。両職員は、県内の諸会合の運営者として、会合Ｍ参加者の意見を聞き入れて、地域の情報技術者のニーズに合う政策を提案したり検討したりしています。参加者らはこの両職員について、

「我々がこういうことに困ってると言ったら、そういう現場の声を聞いて、すぐ行動に移してくれるし、補助金を持ってきて（紹介・提案して）くれる」

「自分の仕事だからというわけではなく、ＩＴ企業をつかって地域を発展させたいという気持ちを本当に持ってやってくれている」（いずれも調査時の参加者の証言より）

と、好意的に評価しています。

もともと島根県の情報技術者コミュニティは、政策的なＩＴ産業振興の中から生まれ育ったものであ

り、会合Mもその政策で設置された会場があったから成立したものでした。こうしたコミュニティが島根県で成立し発展しているのは、東京圏の会合Fのような純粋に技術者たちだけの自発的な取り組みだけではなく、技術者たちの価値観を理解した自治体の効果的な支援があったからだといえるでしょう。

以上のように、会合Mは、島根県とりわけ松江市のIT企業に所属する若い情報技術者を中心として、Rubyの発展や活用という共通目的のもとで多様な人材が集まるローカルな対面接触の場でした。そしてそこでは情報技術者が自らの技術的研鑽の意欲に基づいて自発的に活動し交流しており、そのことが結果として、Rubyやプログラミングの教育活動の場としての性格が生じたり、新たな教育活動が派生したりしています。すなわちここでは、技術者コミュニティが、地域に開かれた相互扶助的な人材育成システムとしての機能をもち、かつその機能が自律的に発達しているのだと評価することができるでしょう。

5　まとめ――技術者の「自由」なコミュニティとその地域差

こうした東京都と島根県の例において、技術者コミュニティは、技術者たちが自由で開放的に活動するために自発的に構築した、自身の所属する企業組織にとらわれず主体的に改変可能な外部領域としての社会関係が展開する場だといえます。それは所属組織からの束縛からの自由（消極的自由）が存在すると同時に、みずからコミュニティの一員になり、得ようとする知識やモチベーションなどの諸資源を自由に得たり、他者に提供したり、あるいはそうしたコミュニティの在り方を改変できる、積極的自由が存在する場です。

しかしここまでに分析してきたように、情報技術者コミュニティの在り方とその意義には、東京都と島根県とで次のような地域差があります。

東京都のITベンチャーの集積とコミュニティ

東京都で開催される国際カンファレンス（事例会合）には、おもに東京都内を中心としつつも、空間的に広域かつ多様な地域から、ITベンチャーの若い情報技術者が集まっています。そしてそこで技術者たちとITベンチャーは、インターネットでの電子的コミュニケーションではなく、会合で同じ時間と空間を共有した人的交流によって、組織を超えた個人的な社会関係を取り結んでいます。そしてその社会関係を介在して、情報技術者たちは抽象的知識の獲得、モチベーションの喚起、人材獲得といった諸利益を結果的に得ています。ITベンチャーも、自社の技術者たちの自発的な活動によってそれらの利益を得られる場であると、コミュニティやその会合を積極的に評価していました。これは東京圏の技術者や企業だけに関わることではなく、地方のより若く小規模な企業にとっても、こうした東京圏の大規模会合は、東京という場所に来たからこそ活用できる、人脈形成や知識・技術水準の向上の有力手段として、地方からあえて参加するだけの意義が認められています。

こうした意義がコミュニティに認められるのは、ITベンチャーの産業特性に一因があると考えられます。ITベンチャーは業界の激しい変化への対応と急速な成長が要求されますが、しかしベンチャーであるがゆえに、成長に必要な諸資源を自社のみで十分に調達することは難しいという矛盾した状況に置かれます。また情報技術者にも、先駆的な技術を吸収しながら開発をつづけ、かつ将来の転職とキャリアアップを前提として、自らの知識や技術を継続的に研鑽することが求められます。それは必ずしも容易な営みではありませんが、同時に、技術者のなかにはそうした研鑽自体を非経済的インセンティブとして楽しむ者もいます。情報技術者は知識を継続的に獲得し有効活用するためのモチベーションを必要とし、逆に企業側にはそのモチベーションを維持し喚起する何らかの方策が必要となります。

こうした特性をもつＩＴベンチャーにとって情報技術者コミュニティには、自社の力のみでは獲得したり育成したりすることが困難な、抽象的知識やモチベーション、あるいは優秀な人材といった様々な資源を社外から獲得可能とする、ある種の資源獲得経路としての役割があると理解することができます。そしてその資源獲得経路は、情報技術者たちが空間的に多様かつ広域な場所からコミュニティの会合という特定の時空間に集まり、そこで組織を超えた開放的な社会関係を構築し、自らの興味関心に従う「自由」な活動が集積した結果として生まれたものです。

それゆえＩＴベンチャーは企業として、自社の従業者がコミュニティという外部領域から諸資源を自発的に獲得することを期待して、非経済的インセンティブを重要視する技術者たちの価値観を尊重し、それに基づく個人としての自由で自発的な活動を敢えて奨励し、コミュニティを経済的に支援しているといえます。

ＩＴベンチャーが発達する地域は、開放的な地域文化を持つ「自由」な地域であると考えられてきました。それはここまでの分析をふまえれば、このような、技術者たちが自らの興味関心を主体的かつ自由に追求し、それを企業が尊重してきた結果として生まれる、開放的な社会関係が存在する地域なのだと理解することができます。

それは概念的には、水平的で柔軟な社会関係が構築されているという意味で、技術者コミュニティは、ネットワーク型の組織が東京圏の内外に広がる形で発達し機能したのだといえます。そうしたネットワークが成立しているのは、技術者や企業が、ＩＴベンチャー業界において自らの生活や経営を維持し発展させるため、また業界全体をよりよくするため、さらにはプログラミングの研鑽そのものを楽しむためといった共通目標を達成しようとする共同的意識を共有しているからです。技術者コミュニティは、ネットワークであると同時に学術的な意味でのコミュニティでもあり、その両面性が技術者コミュニティの価値を生み出しているといえます。

したがってＩＴベンチャーを発達させるためには、こうした技術者たちの自発的で自由な活動を行おうとする価値観を、企業が尊重することが重要といえます。そして今回の東京都の事例は、その「尊重」が地域的に機能している例です。

ただし地理学的には、それが東京圏で有効に機能しているのは、東京圏という、高度な都市機能をもち経済機能が集積した地域だからこそだともいえます。東京都は日本最大のＩＴ産業集積地であり、東京都内で会合が開催されると、その開催地の近傍に立地する著名で勢いのあるＩＴベンチャーからより多くの情報技術者が参加できるはずです。また東京圏のコミュニティや会合は、地方や国外の企業や技術者にとっては日常では出会えない人々との対面接触を可能にする貴重な場でしたが、それは東京圏の交通機関が高度に発達しているからでもあります。そもそも多数のＩＴベンチャーと技術者が存在するから、技術者の自由を求める価値観を尊重することが、企業に利益をもたらすコミュニティの発達につながるのだともいえるでしょう。こうしたコミュニティは、東京圏の経済機能をさらに発達させるものであると同時に、その経済機能に依拠した都市の特性の上に立脚した存在でもあります。

地方圏のＩＴベンチャーの集積とコミュニティ

都市におけるＩＴベンチャーの発達に果たす技術者コミュニティの役割は、基本的な部分は東京都の例で説明ができますが、地域によって違いもあります。事例分析を行った島根県では、東京都とは異なる形での、コミュニティとＩＴベンチャーの発達が見られました。

島根県のローカルな事例会合では、技術者が所属組織を超えて自由に参加しますが、そこで構築される社会関係は、ローカルで小規模かつ継続的に開催される会合であるがゆえに、より緊密なものになっています。そこで技術者たちはプログラミングに関する地域的な人材育成システムを、技術者たち自身や、プログラミング初心者や青少年を対象として形成していき、その取り組みは一定の高い評価を得ました。この会合の特質は、地域的な人材育成システムを、コミュニティという自発的な活動の中から生み出した点にあります。

ローカルな小規模会合は、大都市のコミュニティでも見られます。しかし島根県の場合は、それが地域的なＩＴ産業振興政策によるコミュニティ支援と、そこで発揮された技術者たちの自発性との融合によって成立し発達したことが、東京都と異なります。この差異の根底には、日本経済の東京一極集中と、それによる、ＩＴベンチャーをめぐる地域的条件の東京圏と地方圏の地域差があります。

三大都市圏から離れて位置する島根県は経済規模も小さく産業振興上不利な地理的条件下にあり、ＩＴ産業振興においても、補助金を拠出して企業の立地を誘引するという戦略は必ずしも有効といえませんでした。それゆえ島根県では大規模な財政支出を回避しつつ、他の地域には達成できない独自の地域的な個性を生み出す必要がありました。そこで県と市の行政が地域の情報技術者の非経済的インセンティブを求める価値観を理解し、技術者の自由で自発的な活動を尊重し、ローカルな技術者コミュニティが発達する基盤を整備することで、ＩＴベンチャーの高付加価値化に寄与する地域的な人材育成システムが結果的に創出されました。こうした方法や経緯は、単なる補助金の拠出による立地誘引とは異なる、地方圏ならではの産業振興であったといえるでしょう。とりわけ、コミュニティや会合の発達が継続していることには、地方圏でありながらも無料で使用できる小規模施設などの設備が整っているというハード面に加えて、ソフト面として、コミュニティの存続や会合の運営に県と市の職員が、技術者の価値観を理解してその意見を組み入れながらきめ細やかな支援を行ったことが欠かせなかったはずです。

また、地方圏で生活する情報技術者たちにとって、東京圏や大都市圏の会合は、それがいかに魅力的であっても、だれもが容易に参加できるとはいいがたいものです。一方で地方圏のローカルなコミュニティでは、大都市のように交通の利便性が高く技術者人口も大規模ではないので、参加者たちは流動的になりにくいといえます。それゆえ地方圏ではある程度限定された参加者たちが継続的に対面接触を行うことで、より密な結合関係を形成しやすく、より情報技術者のモチベーション創出や会合の派生が起こりやすいともいえます。

いずれにせよ島根県の事例は、地方圏の産業規模の小さい地域においても、あるいはそうした地域だからこそ有効に成立しうる、地方圏ならではの技術者たちの自由なコミュニティの在り方だといえるでしょう。

島根県では、地方政府の適切な支援がなければコミュニティの発達はみられなかったかもしれません。大都市のコミュニティでは構成員が流動的になりやすく、そこにメリットがあるともいえますが、島根県ではよりローカルで緊密な社会関係が構築されました。ただし広域に活動する技術者も存在し、活動や社会関係がローカルで完結しているわけでもありません。島根県のコミュニティの例は、地方圏の限定的な社会の中でも成立可能な、ローカルだからこそ、地方だからこそできた、開放的で自由な社会関係や地域の在り方です。

第三部　自由がもたらす地域の解放と束縛

――温泉観光地の再構築――

本章と次章では、温泉観光地をフィールドとして、観光・レジャー産業、とりわけ宿泊業がインターネットの利用を通して、いかなる「束縛の構造」からいかに自由になれるか・なれないのかを検証していきます。第一部で論じたように、観光・レジャー産業は最も早くからインターネット利用が進んだ産業の一つであり、ネットがもたらす自由の拡大とその限界を読み取るのに適しています。

前章まではインフルエンサーや情報技術者といった「個人」に焦点を当ててきましたが、ここでは宿泊業という「組織」に焦点を当て、宿泊業が立地する地域の地理的環境と社会構造との関係に注目します。

地域の中でも温泉観光地の宿泊業を分析します。温泉観光地は歴史の長い観光集落であり、その内部には伝統的で強固な社会構造を持っているものが少なくありません。なので温泉観光地の宿泊業は「ローカルな束縛の構造」に経営の在り方を規定されてきた面があります。しかし近年は、ネット社会化とツーリズム自体の変容の中で、こうした「ローカルな束縛の構造」が、ナショナルやグローバルなスケールにおける「束縛の構造」に侵食され、その内部に取り込まれつつある動きがあります。それはGAFAなどのグローバルなネット企業の台頭や、インターネット専業の旅行業者であるネットエージェントの発達などに代表される現象です。

ここでは群馬県の草津温泉を舞台に、そうした変容のなかで地域の宿泊業が「束縛の構造」からどれだけ自由になれるかを検証していきます。

第七章　温泉地の社会構造と「自由」を求める宿泊業

1　温泉観光地とインターネット利用

ネット社会におけるツーリズム

戦後日本の観光発展は、高度経済成長期における団体旅行の拡大とその後の個人旅行化から特徴づけられます。高度経済成長期には、特に大都市近郊の温泉観光地が団体旅行の需要を受けることによって発展しました。今日では、個人旅行者の多様な観光需要に対応することが、観光地の課題になっています。

一方、インターネットの利用普及のなかで、小売業などでは、取引のオンライン化が進むことによって、距離の制約を克服した企業や地域が集客力を強化すると考えられてきました。こうしたオンラインマーケティングの拡充は既存の中間業者を排除すると同時に、新たな中間業者を創出する可能性もありました。こうした変化の中で個々の企業は、必ずしも全てのビジネスや取引をネット上に集約化すればよいのではなく、既存の取引経路をネット上の取引経路と効果的に組み合わせることが必要と考えられています。

宿泊業についても、中間業者の再編とそれに対応する宿泊施設の変化が進んでいます。中間業者の代表例は旅行代理店（旅行会社）です。旅行代理店は先述のように、かつて団体旅行の仲介を得意としましたが、近年は個人旅行者のオンライン予約専門の中間業者が世界的に成長しています。それは日本ではネットエージェントと呼ばれ、広く利用されています。

宿泊施設側にとってネットエージェントは、旅行代理店と比較してより低額で利用できるメリットがあります。宿泊施設は、ネットエージェントのサイト上に無料で、オンライン予約の窓口と「口コミ」や「レビュー」といった顧客との双方向コミュニケーションの場を開設でき、その利用対価は、予約成立時に宿泊価格の八〜一〇%をネットエージェントに支払う形態が一般的です。

旅行業に限らずとも、今日ではオンラインモールなど、ネット取引専門の中間業者の存在は一般的です。ネット専門の中間業者が利用できるようになったことで、とりわけ、これまで有力な販売力を持たなかった中小規模の企業にとっては、大量の販売員や営業人員を持てなくても、ネット上での販売戦略や商品の価値によっては、従来以上の大きな売上が得られる可能性があります。

また消費者にとっては、ネット上で大量の商品情報を簡単に検索できるようになったので、買い手側の情報探索コストが激減し、取引全体が買い手市場化していきます。こうした状況では、販売者側は、無数の商品情報の中から自社の商品を検索され、発見されるための工夫が必要になります。また口コミやレビューなどの双方向のコミュニケーションの場を設けて、顧客との旅行な関係を構築・維持したりすることも求められます。したがって宿泊業においてネットエージェントは、中小規模経営者にとっての販売ツールや顧客との関係構築・維持ツールになると同時に、そこでの情報のアピールの工夫が求められる存在だといえます。

一方、ネットエージェントに頼らずとも、宿泊施設が自社でオンラインマーケティングを行うことも可能です。宿泊業では、自社サイトとオンライン予約の窓口を設置することで、旅行代理店の利用を次第に減らしていく動きが進んでいます。また自社サイトやブログ、ＳＮＳでの顧客との双方向のコミュニケーションも進んでいます。

宿泊業のネット利用

もちろん、こうした宿泊業のネット利用の方法は、個々の企業ごとに異なっていますが、地域差もあるはずです。つまり、特定の地域に立地する宿泊業のなかで、どのような宿泊施設がどのようにネット利用を導入し、それをめぐって、施設の間で、経営形態がどのように分化するのかは、その地域の地理的条件によって異なってくるはずです。

宿泊施設が集中して立地している地域として、滞在型の温泉観光地が挙げられます。本章では群馬県草津町の草津温泉を事例に、宿泊施設のネット利用が個々の宿泊施設の特性に応じてどのように導入されたのかを、宿泊施設の経営戦略に着目して分析します。

草津温泉は東京から直線距離がおよそ一五〇ｋｍで、東京大都市圏の縁辺部である、群馬県北西の山奥に位置します。現在でも東京と草津温泉間は特急電車やバスでおよそ三〜四時間かかり、宿泊需要のある地域です（図14）。それゆえ草津町では、産業別にみた就業者数では「飲食店・宿泊業」の就業者数が四二・六％を占めています（二〇〇五年）。宿泊者数はバブル崩壊後も横ばいで推移しています（図15）。

なお、宿泊業のネット利用を論じる上では、対個人サービス業である宿泊業の商品特性が小売業や卸売業と異なることに留意が必要です。

すなわち第一に、宿泊業では取引をオンライン化しても、商品はモノではなく形のない「宿泊サービス」なので、顧客は商品を消費するために宿泊施設まで物理的に移動する必要があります。その移動の際の地理的制約はネット利用が進んでも解消できません。小売業ではネットを利用した全国の小売店がオンラインモール上で全国で顧客を奪い合うような状況がありますが、宿泊業では成立しにくいです。よっ

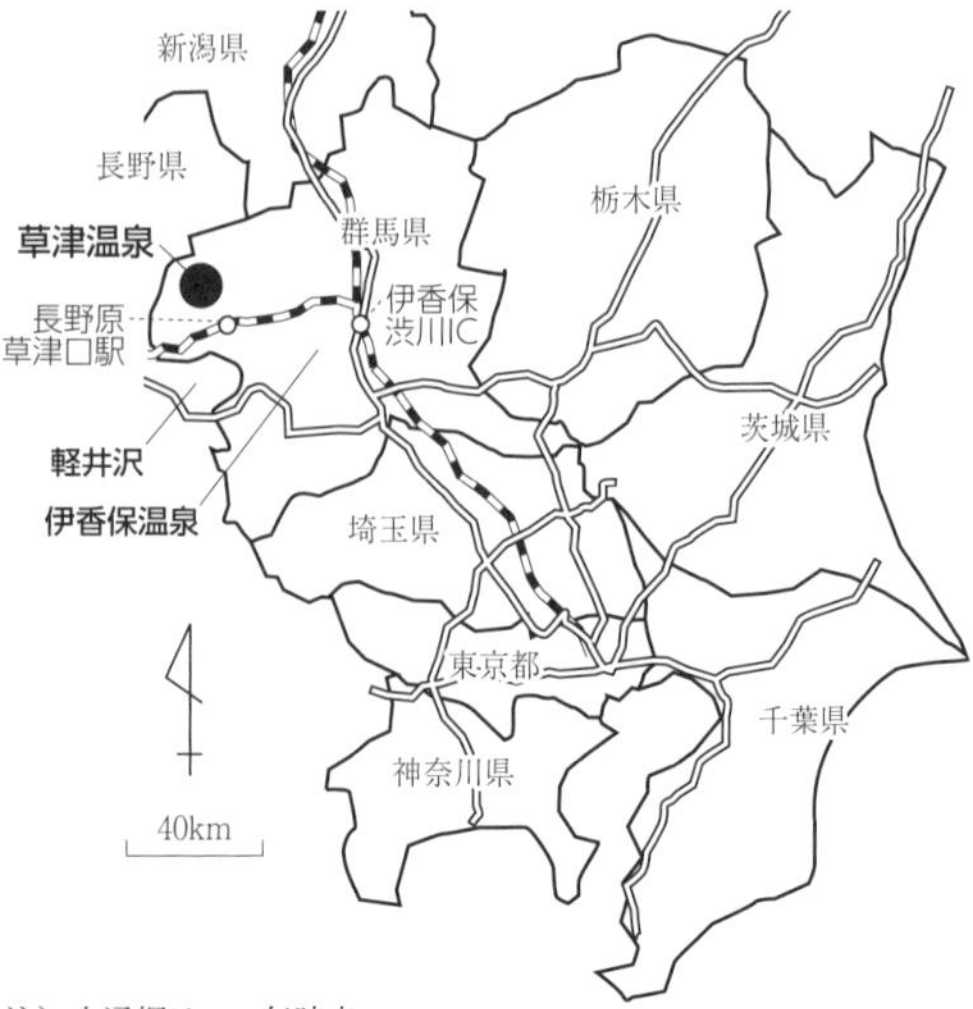

注）交通網は2012年時点。

図14　草津温泉の位置

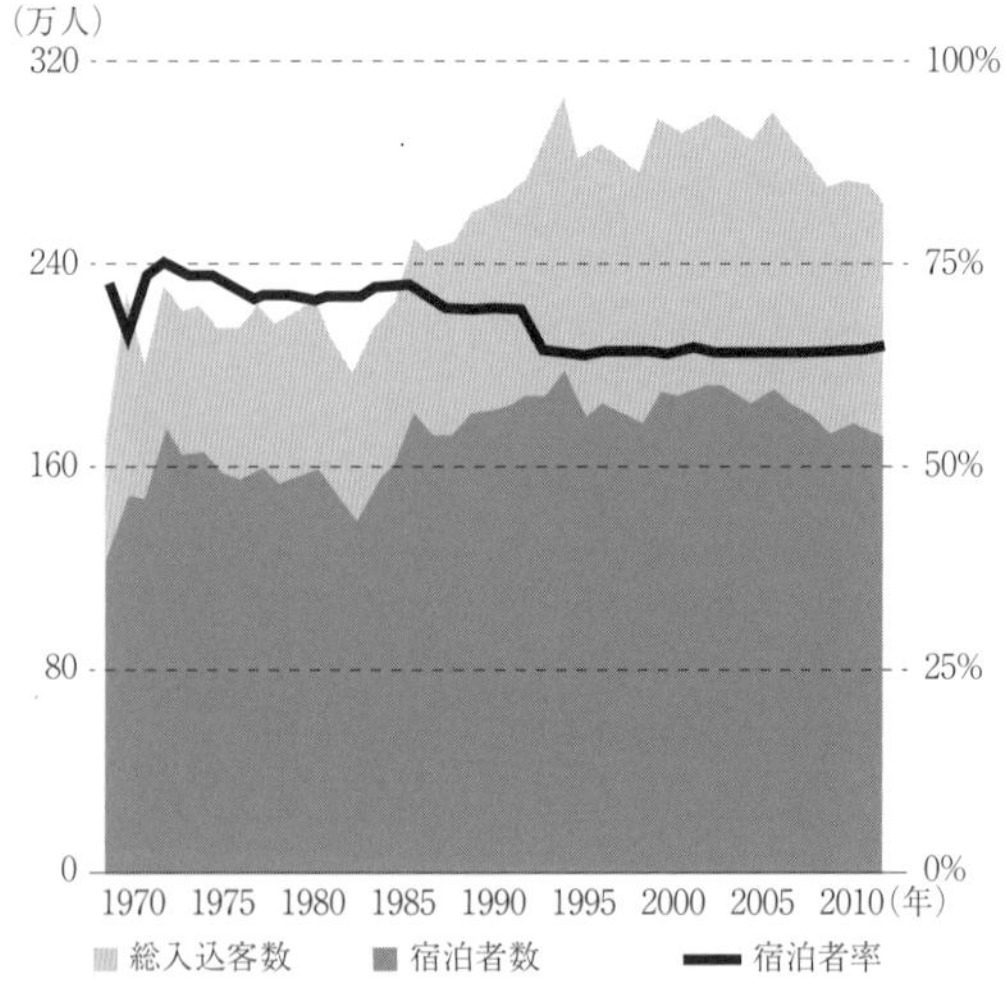

図15　草津温泉における入込客数・宿泊者数・宿泊率の推移（1970〜2011年）　（草津温泉観光協会資料により作成）

て、特に滞在型の温泉観光地では、高い人気を持つ一部の宿泊施設が新たな顧客層を開拓して、地域全体の市場を拡大することもあると考えられますが、その他多くの宿泊施設の主眼は、従来の限定的な市場のなかでの顧客争奪にあると仮定できます。

第二の点として、オンラインマーケティングの成功には、単にネット上で取引ができるようにするだけでなく、①取引前の誘客段階における、競合他社と差別化した情報発信と、②取引後の関係構築・維持段階における、顧客との双方向コミュニケーションの実施が不可欠とされています。前述のように、宿泊業は小売業と異なり、顧客が商品を消費する際には、必然的に宿泊施設まで物理的に移動し、そこで従業者と実際に会って（対面接触をして）コミュニケーションを行い、そこでの両者の好ましい関係の構築と維持がサービスの価値の一部をなします。それゆえ双方向コミュニケーションの実施はより重要と言えます。また差別化についても前述のように、温泉観光地の場合、地域内での顧客争奪が主眼となるので、誘客段階では地域内の他の施設との差別化により注力されます。これらのことから、宿泊業のネット利用は、誘客、予約受付、関係構築・維持の三段階に分けて分析していきます。

2　草津温泉の社会構造とその発達

社会構造の形成

草津温泉の温泉集落は、盆地底部の「湯畑」と呼ばれる源泉の周囲に自然発生的に形成されました。この集落は一八六九（明治二）年に発生した大火でほぼ消失し、その後の復興過程で一部の宿泊施設が、消失した湯畑近隣の土地を取得しました。それは湯畑という、草津温泉で最も立地優位性の高い場所における施設規模の拡大の成功を意味します。これらの大規模宿泊施設やその経営者グループは「八社会」と呼ばれ、戦後にいたっても、草津温泉の経済的・政治的な有力グループとして認識されてきました（佐々木、一九九七）。

高度経済成長期になると、草津温泉も他の温泉観光地と同様に、観光バスを用いた一泊滞在の団体客の獲得が課題となりました。そこで一九六四年から一九六六年にかけて、長野原と草津温泉を結ぶ自動車道を舗装し、湯畑近隣にバスターミナルを設置することで、団体客への対応体制を確立させました。ただし当時の草津温泉は、熱海、伊東、水上、鬼怒川などの、東京とのアクセスがより良い温泉観光地とくらべて発展が数段遅れていました。そのため草津温泉において団体客の受け入れは、設備がより整っている、八社会に含まれるような大規模宿泊施設が主導していきました。こうした湯畑近隣の典型的な大規模宿泊施設の経営について、山村順二の研究（山村、一九九二）によれば、一九六九年には、二〇名以上のグループが宿泊者数全体の八二・五％を占め、旅行代理店経由の予約数が六八・八％であり、それが一九八一年には八〇・六％に達しました。この一方で、湯畑近隣には小規模な宿泊施設も立地していましたが、そうした施設の顧客の中心は観光客というよりも、長期滞在の湯治客でした。

このような客層の差異は客室の稼働率に影響を与えます。一九七二年の時点で年間稼働率が五〇・〇％以上の宿泊施設は、草津温泉全体の四・三％に限られ、そのいずれも収容人員が一五〇〜三五〇人の大規模施設です。一方、年間稼働率二〇・〇％未満の宿泊施設が全体の五五・九％を占めます。しかも収容人員一五〇人未満の宿泊施設のうち八九・五％が、稼働率三〇・〇％未満という低水準になっていました（山村、一九九二）。こうしたなかで大規模宿泊施設は、八社会をはじめ、日本観光旅館連盟や草津温泉旅館協同組合、草津温泉観光協会（以下それぞれ「日観連」「旅館組合」「観光協会」）といった組織へ加盟し、その経営者は旅館組合や観光協会で理事を兼務するなど、ローカルな社会構造の中心になっています。

これらが意味するのは、草津温泉では伝統的に、どのような宿泊施設が、どのように経営されるのかという経営特性が施設の規模の大小によって規定されてきたということです。そしてある面では、規模の大小が、八社会を頂点とした社会構造の中での、その施設の位置を示しうるのです。

草津温泉における個人旅行化

高度経済成長期以降の草津温泉では、個人旅行化が進展しました。

草津温泉では一般に、家族連れすなわち個人客は八月に、団体客は一〇月に予約が集中します。山村の研究によれば、草津温泉の予約集中のピークは、一九四八年には八月、一九六七年は一〇月、一九七七年には八月と一〇月、一九九〇年は再び八月と推移してきました（山村、一九九二）。このことが意味するのは、高度成長期に団体旅行が発達し、それが次第に個人旅行へと転移したことです。

この個人旅行化を事前に察知した、湯畑周辺に立地する大規模宿泊施設の一部は一九六〇年代から、家族連れを顧客の中心に据えた大規模リゾートホテルの建設を進めました。当時、宿泊施設が立地しているのは湯畑周辺の伝統的な温泉集落（温泉街地区）にほぼ限られており、その外側の盆地外周部には手つかずの高原（高原地区）が広がっていました。それは盆地底部で湧出する湯畑の源泉を高原まで引き揚げる技術がなかったからです。なので高原開発のごく初期には温泉が引かれていないため、進出した施設は顧客の確保に苦慮したようです。しかし高原地区で新源泉が発見され、また湯畑の源泉の揚水システムが整備されたことも後押しし、少数の大規模リゾートホテルの進出とそれに付随する多数の小規模ペンションの新規参入が、温泉街地区の北側から進行していきました。その結果、山村（一九九二）によれば、草津温泉の宿泊者数に占める高原地区の割合は、一九六四年に六・四％だったのが一九七六年には四七・四％まで拡大し、一九八九年には個人客すなわちグループ人数二人程度と一〇人程度の宿泊者が、各二一・二％、六三・五％を占めるようになりました。

つまり、社会全体での個人旅行化の流れのなかで、草津温泉でも有力施設を中心に高原開発が進められました。そして草津温泉の空間的範囲が拡張されるとともに、個人客にも対応した温泉観光地へと変容してきたのです。その過程において草津温泉では、個人客を対象とした宿泊施設が増加し、結果的に、地域内部で個人客を獲得しようとする顧客争奪が激化していきました。

草津温泉の宿泊施設は一九九〇年代なかば以降、経営にインターネットを取り入れていきます。しかしそれは全く自由に取り入れられたのではありません。ここで見てきたような施設規模の大小とそれによるヒエラルキー型の社会構造、さらには個人旅行化への対応と顧客争奪の激化といった諸文脈からの束縛があるなかで、各施設はネット利用を導入しました。次節ではそれを分析します。

3　宿泊施設のインターネット利用

草津温泉における個人旅行化

ここでは先に整理したように、①誘客、②予約受付、③関係構築・維持の各段階において、ネット利用がどのような宿泊施設で導入されているのかを、次のような方法で分析します。

まず、ネットの利用が導入されているか否かの判別を、誘客、予約受付、関係構築・維持の各段階で行います。それは次のように判別します。

第一に、誘客段階のネット利用導入、つまり競合他社と差別化した情報発信についてです。今日の観光地の宿泊施設では一般的に、個人旅行化にともなって宿泊需要が多様化していることへの対応が急務となっています。ですので個人客に対応した情報発信を目指す宿泊施設に着目します。

その指標として、オンラインマーケティングにおける差別化には、自社サイトのソースコードに、差別化した自社商品の特性をアピールする適切なキーワードを記述し、キーワード検索に順応することが必要です。そこで草津温泉において自社サイトを持つ宿泊施設一四三軒を対象に、自社サイトのソースコードを確認しました（二〇一三年九月時点）。表20に収集したキーワードの分類を示してあります。この中から個人客への対応を意味するキーワードを選別します。ここでは「特定宿泊者」と「貸切浴場」の二つのグループを選別しました。前者はニッチなサービス提供を、後者は個人客向けの貸切浴場の提供を意味しており、いずれも個人客の多様な需要に対応し差別化として機能するキーワードです。これらのことから、「特定宿泊者」と「貸切浴場」に含まれるキーワードを自社サイトのソースコードに記述している施設を、個人客に対応した情報発信を目指す、誘客段階におけるネット利用を導入した宿泊施設とします。

第二に、予約受付段階におけるネット利用導入の有無は、各宿泊施設の自社サイトにおける予約受付システムと、ネットエージェントへの登録の有無から判別します（二〇一二年六月時点）。ネットエージェントは大手のA社とB社が対象です。

最後に、顧客との関係構築・維持段階のネット利用導入の有無は、オンライン上での双方向コミュニケーションの実施、つまり、①ネットエージェント上の宿泊者の書き込みに対して返信していること、②

表20　草津温泉の各宿泊施設の自社サイトにおけるTitle要素とMeta要素のキーワード（2013年）

分類	該当施設数	キーワードの例	出現数
草津温泉	233	群馬県，群馬県吾妻郡草津町，草津	331
施設の種類	105	ペンション，ホステル，ホテル，旅館	184
温泉観光一般	100	旅，旅行，宿泊，温泉，風呂，温泉旅行，観光	174
湯畑	51	湯畑，湯畑近い，湯畑徒歩10分	49
温泉	49	わたの湯，綿の湯，若乃湯，大日の湯	62
ネット予約	47	インターネット予約，じゃらん，口コミ	56
特定宿泊者	46	ツーリング，ペット，素泊まり，子ども	55
貸切浴場	45	家族風呂，貸し切り風呂	51
イメージ	38	家庭的な旅館，小さな湯宿，心の民宿	44
スキー関連	34	スノーボード，リフト券，草津国際スキー場	57
料理	28	イタリア料理，食事，グルメ，お酒，京懐石	56
施設・設備	22	囲炉裏，全室インターネット可能，和室	30
浴場	22	天然岩風呂，岩盤浴，サウナ，檜風呂	28
観光資源	22	西の河原徒歩5分，運動茶屋，ベルツ通り	31
価格	20	リーズナブル，格安，割引券，低料金	37
体験	17	湯もみ，押し花，パッチワーク	24
地名（草津外）	15	ハワイ，北米，ヨーロッパ，イタリア，中米	58
自然・動物	13	動物，高原，自然，雪，白樺林，アウトドア	11
スポーツ	12	ゴルフ場，サイクリング，スポーツ，テニス	17
宿泊者	9	グループ旅行，シングル，ファミリー	17
団体	9	団体，団体旅行，ツアー，合宿，学校，教室	12
湯治・健康	9	湯治，アトピー，アレルギー，皮膚炎	12
日帰り	8	日帰り，日帰り入浴，立ち寄り，立ち寄り湯	10
その他	43	ザスパ草津，貸別荘，体験宿泊，駐車場	51
分類不能	32	情報，ニュース，素材，地図，会員制	61

注）「Title要素」と「Meta要素」はWebページのソースコードの構成要素の一つであり，Title要素にはWebページの表題，Meta要素にはWebページの基本情報（メタデータ）が記述される。Meta要素のうち「keywords属性」にはWebページの記述内容を示す複数の語句が記述される。本表はTitle要素のキーワードと，Meta要素のkeywords属性の記述内容の収集データを示している。ただし，2019年現在ではこうしたキーワード設定は必ずしも効果的ではなくなったとも考えられている。

（各宿泊施設のWebサイトのソースコード解析により作成）

SNSやブログを利用していること、のいずれかが認められる施設とします（二〇一三年九月時点）。

これらの各指標に基づいて、草津温泉の全宿泊施設を、誘客、予約受付、関係構築・維持の各段階におけるネット利用の有無から類型化します。「誘客あり」「誘客なし」、「予約受付あり」「予約受付なし」、「関係構築・維持あり」「関係構築・維持なし」の計六類型について、施設の規模に加え、立地や社会組織への加盟状況などの傾向を分析します。

分析に用いるデータベースは、草津温泉に存在する全宿泊施設一八七軒のリスト（二〇一三年三月時点）を基盤とします。宿泊施設の規模は、客室数二九以下を小規模宿泊施設と規定する旅館組合にのっとり、客室数三〇以上・二九以下を基準に大規模宿泊施設と小規模宿泊施設に分類します。以下では各類型を規模との関係からみた表21、立地との関係を示した図16、価格帯と社会組織加盟率をみた表22から、各類型の傾向を分析していきます。

誘客段階におけるネット利用

まず表21を見ていきます。「誘客あり」の該当施設は五七軒（三〇・五％）に留まります。施設規模との関係では、「誘客あり」の該当率は大規模宿泊施設と小規模宿泊施設のいずれも三〇％前後であまり差はありません。また「誘客あり」の平均客室数は、いずれの客室数でも草津温泉全体の平均値と同程度であり、「誘客なし」と比較してもほぼ変わりません。誘客段階におけるネット利用導入は、特に規模と明確な関係を持っているとはいえません。

続いて図16から立地との関係を見ると、温泉街地区において「誘客あり」の該当施設は「誘客なし」と比べて、より湯畑に近く立地している傾向が見られなくもありません。とはいえ全体としては、「誘客あ

表21　草津温泉における宿泊施設の類型とその施設規模

	全体	誘客		予約受付		関係構築・維持	
		あり	なし	あり	なし	あり	なし
大規模宿泊施設数（構成比）	22（11.8%）	6（27.3%）	16（72.7%）	22（100.0%）	0（0.0%）	16（72.7%）	6（27.3%）
平均客室数：大規模全体	77.6（22）	82.0（6）	76.0（16）	77.6（22）	－（0）	81.5（16）	67.3（6）
150室〜	165.0（3）	166.5（2）	162.0（2）	165.0（3）	－（0）	165.0（3）	－（0）
80〜149室	101.1（7）	－（0）	101.1（7）	101.1（7）	－（0）	105.8（4）	95.0（3）
30〜79室	42.1（12）	39.8（4）	43.2（8）	42.1（12）	－（0）	42.9（9）	39.7（3）
小規模宿泊施設数（構成比）	165（88.2%）	51（30.9%）	114（69.1%）	121（73.3%）	44（26.7%）	72（43.6%）	93（56.3%）
平均客室数：小規模全体	9.9（145）	10.2（51）	9.6（94）	10.2（119）	8.3（26）	9.7（72）	10.0（73）
16〜29室	20.3（16）	21.3（7）	19.6（9）	20.5（13）	19.3（3）	17.8（4）	21.7（12）
〜15室	8.7（129）	8.9（44）	8.6（85）	9.1（106）	6.9（23）	9.3（68）	8.1（61）
客室数不明施設	20	0	20	2	18	0	20
宿泊施設数（構成比）	187（100.0%）	57（30.5%）	130（69.5%）	143（76.5%）	44（23.5%）	88（47.1%）	99（52.9%）

注1）「平均客室数」の括弧内は該当数を示す。
（各宿泊施設の Web サイトとソースコード，ネットエージェント上の掲載情報，旅館組合と観光協会資料により作成）

り」と「誘客なし」の立地は温泉街地区でも高原地区でも混在しているといった方が正確です。高原地区では北部・南部いずれも混在した立地傾向であり、縁辺部でも同様です。「誘客あり」の温泉街立地率は四二・一％で、草津温泉全体（四一・二％）と変わりません。「誘客あり」と「誘客あり」とで、立地傾向に目立った差異は認められません。規模との関係と同じように、誘客段階におけるネット利用導入において、施設の立地からの強い影響は見受けられないといえます。

最後に表22を見ると、価格帯については「誘客あり」は最高価格の平均が二万一九七・七円、最低価格の平均が九九八八・三円と、草津温泉全体の平均と比べて、特に最高価格

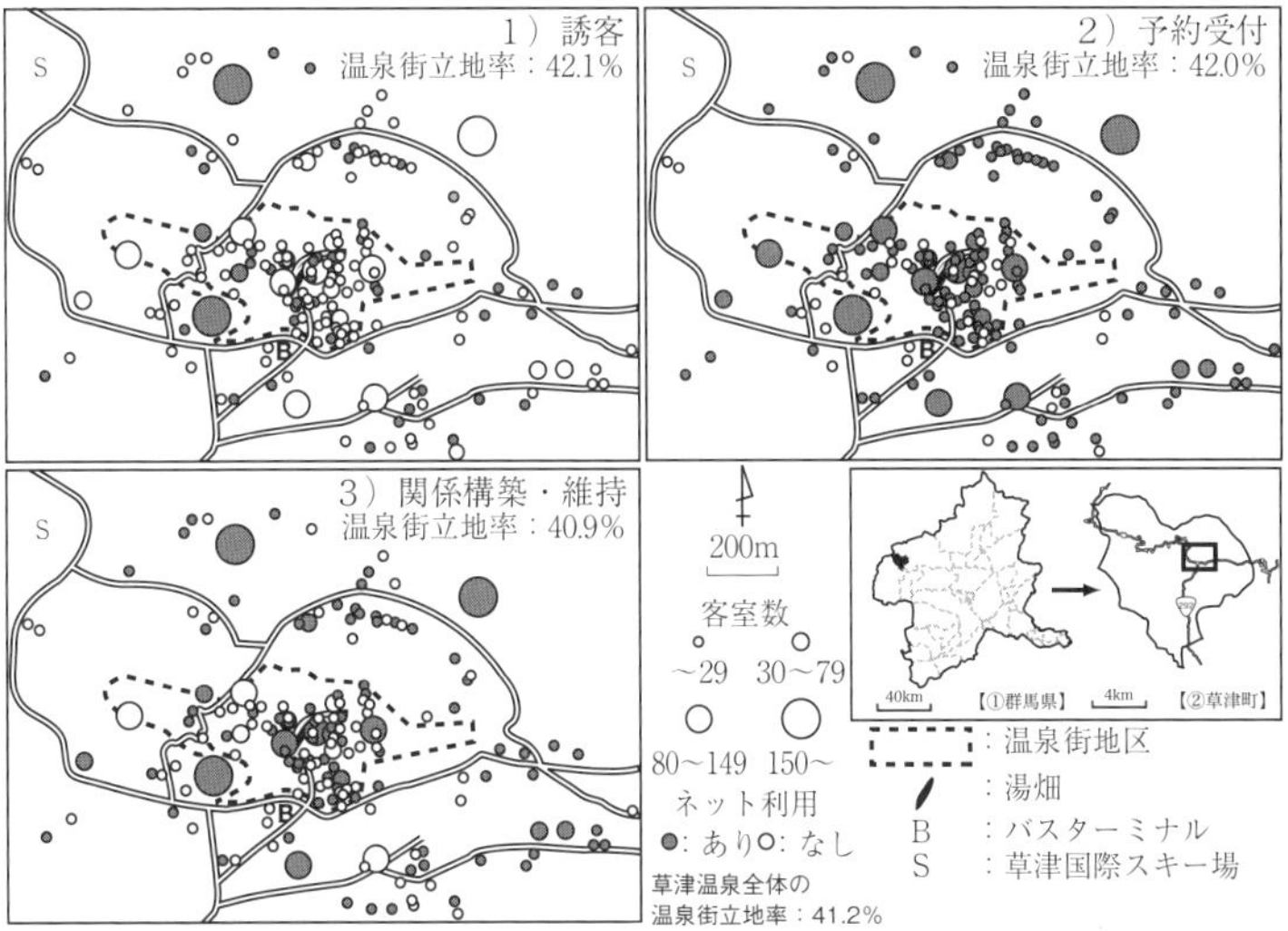

注1）宿泊施設のうち，所在地が不明な施設11軒は表記していない。また本図の範囲から特に離れて立地する施設6軒も，図が長大になることを避けるため表記していない。
注2）施設の立地は2015年時点のものを示す。
注3）温泉街立地率はネット利用「あり」の施設の値を示す。

図16　草津温泉における宿泊施設の類型別立地

（現地調査および各宿泊施設のWebサイトの掲載情報とソースコード，ネットエージェント大手A社・B社上の掲載情報，草津温泉旅館協同組合と草津温泉観光協会の資料，タウンページにより作成）

において、より高額です。つまり「誘客あり」には比較的高級な宿泊施設が多く含まれています。この類型の該当施設は、他の施設では見られにくいサービスを提供できることをアピールしているわけですから、それが差別化として機能し、高額な宿泊価格を提示できているという例も含まれるかもしれません。

社会組織加盟率を見ると、「誘客あり」はいずれも草津温泉全体の加盟率よりもやや高くなっています。とはいえ、草津温泉全体との差は、観光協会とペンション協会以外では数%程度に留まりますし、「誘客なし」の社会組織加盟率も、草津温泉全体よりも著しく低いわけではありません。つまり誘客段階においてネット利用を導入している施設に

表22　草津温泉における宿泊施設の類型別基本情報と社会組織加盟率

		全体	誘客		予約受付		関係構築・維持	
			あり	なし	あり	なし	あり	なし
基本情報	宿泊プランの平均最高価格（円）	18,600.3	20,197.7	17,605.7	19,169.7	11,008.3	21,560.7	14,488.6
	宿泊プランの平均最低価格（円）	9,715.0	9,988.3	9,549	9,897.4	7,925.0	10,342.5	8,818.7
	旅行代理店利用施設	18 (9.6%)	6 (10.5%)	12 (9.2%)	18 (12.6%)	0 (0.0%)	16 (18.2%)	2 (2.0%)
社会組織	日観連加盟施設数	30 (16.0%)	12 (21.1%)	18 (13.8%)	28 (19.6%)	2 (4.5%)	22 (25.0%)	8 (8.1%)
	旅館組合加盟施設数	116 (62.0%)	37 (64.9%)	79 (60.8%)	96 (67.1%)	20 (45.5%)	61 (69.3%)	55 (55.6%)
	観光協会加盟施設数	117 (62.6%)	46 (80.7%)	71 (54.6%)	107 (74.8%)	10 (22.7%)	73 (83.0%)	44 (44.4%)
	ペンション協会加盟施設数	26 (13.9%)	13 (22.8%)	13 (10.0%)	25 (17.5%)	1 (2.3%)	15 (17.0%)	11 (11.1%)
	八社会加盟施設数	9 (4.8%)	3 (5.3%)	6 (4.6%)	9 (6.3%)	0 (0.0%)	8 (9.1%)	1 (1.0%)
宿泊施設数（構成比）		187 (100.0%)	57 (30.5%)	130 (69.5%)	143 (76.5%)	44 (23.5%)	88 (47.1%)	99 (52.9%)

注１）「旅行代理店利用施設」と「社会組織」の括弧内は該当率を示す。
注２）宿泊プランの平均価格は1名あたりの宿泊価格から算出した。

（各宿泊施設のWebサイトおよびソースコード，ネットエージェント上の掲載情報，日本観光旅館連盟，旅館組合と観光協会，草津温泉ペンション協会の資料，JTBおよび近畿日本ツーリストのパンフレット，佐々木（1997）により作成）

は、草津温泉の有力者層が比較的多く含まれているが、有力者層は導入していない施設にも少なからず含まれるということです。またネット利用を導入していない施設全てが、社会組織に加盟しない零細施設ともいえません。

以上のことから、誘客段階におけるネット利用は、特定の施設規模や立地の施設ではなく、草津温泉の有力者層を含む、社会組織加盟率がやや高く、かつ高価格帯のサービスを提供する施設で導入されていると読み取れます。ただしこうした導入施設は草津温泉全体の三割程度に留まってもいます。つまり導入率の全てを価格帯や社会組織加盟率だけで説明できるともいえません。これらの導入施設は、経営戦略に関する個々の施設特有の理由から、誘客段階におけるネット利用を導入したと考えるべきでしょう。

予約受付段階におけるネット利用

表21を見ると「予約受付あり」の該当施設は一四三軒（七六・五％）であり、草津温泉において、予約受付段階におけるネット利用導入はかなり進んでいるといえます。ただし導入状況は規模によって異なっています。大規模宿泊施設ではその全てが「予約受付あり」に該当します。他方、小規模宿泊施設の導入施設は一二一軒で、二六・七％にあたる四四軒が未導入となっています。この未導入施設は特に小規模です。客室数が比較的多い、客室数一六以上の施設は三軒に留まっていて、そのほかは客室数一五以下ないしは客室数不明施設です。これら客室数一五以下の施設の平均客室数は六・九で、「予約受付あり」の小規模の施設の平均客室数九・一よりもさらに小規模です。このように予約受付段階におけるネット利用導入は、草津温泉の中でも、特に小規模な宿泊施設の一部では行われていないものの、それ以外ではほぼ完全に導入されており、特に大規模宿泊施設ではオンライン予約の受付が完備されています。

続いて図16を見ると、「予約受付あり」は温泉街地区と高原地区ともに草津温泉全体に立地しており、目立った傾向は認めにくいです。他方「予約受付なし」のうち温泉街地区に立地する施設を見ると、湯畑に隣接するものは一軒のみで、他は湯畑から比較的離れた位置に立地する傾向が読み取れます。そして高原地区の「予約受付なし」を見ると、より後期に開発された南側や、宿泊施設の少ない北西部への立地傾向があります。つまり予約受付段階のネット利用が導入されていない施設は、草津温泉の中でも温泉街地区と高原地区の各地区内において、立地優位性が比較的低い場所に立地していると理解できます。

最後に表22を見ていくと、「予約受付あり」の価格帯は、最高価格・最低価格の平均値が草津温泉全体の平均値よりもやや高い程度になっています。一方、「予約受付なし」の最高価格・最低価格は、最高価格の平均値が草津温泉全体の平均値より七千円ほど低くなっています。つまり「予約受付なし」は最も安価なグループです。また社会組織加盟率を見ると「予約受付なし」はいずれの社会組織加盟率も著しく低いです。特に旅館組合と観光協会の加盟率は草津温泉全体より数十%ほど低くなっています。社会組織に加盟していない、あるいは加盟できないような、いわば零細の施設の多くが「予約受付なし」に該当していると考えられます。

したがって草津温泉において予約受付段階におけるネット利用は、大規模宿泊施設を中心に概ね導入済だと理解できます。こうした中で、オンライン予約の受付窓口を持たない施設は、宿泊施設の中でもより小規模で条件不利な立地傾向を示し、より低価格で社会組織加盟率が低いという結果でした。これらの施設は、何らかの理由から、ネット利用導入を具現化する余裕がない、あるいはネット利用の意義がより小さい施設であると考えられます。

関係構築・維持段階におけるネット利用

最後に、関係構築・維持段階です。表21の「関係構築・維持あり」の該当率は四七・一%です。関係構築・維持段階におけるネット利用は、施設から誘客段階でのそれよりも導入しやすいと考えられているのか、ある程度導入が進んでいます。

規模との関係を見ると、大規模宿泊施設の七二・七%にあたる一六軒が「関係構築・維持あり」に該当し、小規模宿泊施設の該当施設は七二軒（四三・六%）と、大規模宿泊施設においてより導入が進んでいます。ただし大規模施設でも未導入施設は少なからず存在しています。また「関係構築・維持あり」の平均客室数をみると、いずれの客室数においても、草津温泉全体の値や「関係構築・維持なし」と比較して大きな差は見受けられません。すなわち、関係構築・維持段階におけるネット利用導入は大規模施設においてより進んでいるが、一概に規模が大きければ導入が進むのではないと読み取れます。

図16の立地については、湯畑の近隣に注目すると、湯畑に隣接する施設は「関係構築・維持あり」が多く、「関係構築・維持なし」で湯畑に隣接するのは一軒のみです。ただし温泉街地区では、両類型ともに湯畑から離れて立地する施設もあります。また草津温泉全体では「関係構築・維持あり」と「関係構築・維持なし」は混在して立地する傾向もみられます。すなわち、誘客段階と同様かそれ以上にモザイク状の立地構成になっていて、関係構築・維持段階におけるネット利用導入と施設立地との間に、強い関係は読み取りにくくなっています。

最後に表22を見ます。価格帯は「関係構築・維持あり」は最高価格・最低価格はいずれも草津温泉全体の平均値より高く、特に最高価格は三千円ほど高額であり、類型間でも最も高額です。他方「関係構築・維持なし」の価格帯は、「予約受付なし」ほどの低価格帯ではありませんが、草津温泉全体よりは低く、特に最高価格は四千円ほど安価になっています。つまり高額な宿泊プランを掲出する高級宿泊施設の多くは「関係構築・維持あり」に該当しているとみられます。

社会組織加盟率を見ると、「関係構築・維持あり」の加盟率はいずれも草津温泉全体よりも高く、他類型と比較しても最も社会組織加盟率が高いです。他方「関係構築・維持なし」の社会組織加盟率はいずれも草津温泉全体と比して低く、これは「誘客なし」よりも低いが「予約受付なし」よりも高い水準です。関係構築・維持段階におけるネット利用は、草津温泉の中でも特に高級宿泊施設で、かつ特に社会組織加盟率の高い施設において導入されていると解釈されます。

以上のことから、関係構築・維持段階におけるネット利用導入は、施設の立地との関係は薄く、大規模宿泊施設を中心に、最も高額かつ社会組織加盟率の高い施設において進んでいると理解できます。これらの宿泊施設の中には、それが草津温泉の伝統的有力者を中心とした高価格帯の施設であるがゆえに、リピーターの確保やそのためのアフターサービスが重要であり、そのツールの一つとしてネットを利用している施設も含まれると考えられます。また関係構築・維持段階におけるネット利用は、誘客段階におけるネット利用よりも導入障壁が低いものの、継続的な更新が必要であり、一定の人的資源が求められるため小規模宿泊施設では手が回りにくいとも考えられます。

とはいえ、関係構築・維持段階におけるネット利用の導入施設は草津温泉全体の半数以下であり、未導入施設は、社会組織加盟率等から考えても一概に零細施設に限定されるとは考えにくいところです。関係構築・維持段階におけるネット利用は、施設規模が大きいなど人的資源により余裕があるか、あるいは誘客段階と同様に経営戦略に関する何らかの理由により、ネット利用に特別な意義を見出す一部の施設で導入されていると考えるべきでしょう。

4　ネット利用を模索する宿泊施設たち

ここまでの分析を整理すると、草津温泉におけるネット利用の導入状況は、ある段階や、ある特定の施設グループで多く見られる・見られないという単純なものではないことがわかります。

予約受付段階のネット利用は、ごく小規模で社会組織加盟率の低い一部の施設を除いて広く導入されていました。一方で誘客および関係構築・維持段階においてネット利用を導入する施設は限定的であり、その中心は、大規模宿泊施設や社会組織加盟率の高い施設でした。しかしながら、大規模宿泊施設や社会組織加盟率が高い施設でも誘客、関係構築・維持段階でのネット利用導入に消極的な例や、逆に小規模宿泊施設で社会組織加盟率が低いにも関わらず両段階でのネット利用を積極導入している施設も少なからず存在します。それらの理由は、ここまで分析してきた客室数などの量的な指標だけでは全てを説明しきれません。

では、宿泊施設はどのような理由から、どのようにネット利用を積極導入した、あるいはしなかったのでしょうか。これらについて、ネット利用導入に積極的な施設とそうでない施設について、個々の宿泊施設の質的なケーススタディによって、草津温泉における宿泊施設のネット利用導入をめぐる経営的な動きを見ていきます。特に一九九〇年代までの団体客から個人客への顧客層の転移という背景での、宿泊施設の経営戦略に着目します。

まずネット利用に積極的な大規模宿泊施設では、予約受付に加えて、個人客に対応する情報発信による誘客や、顧客との双方向コミュニケーションの拡充による関係構築・維持が取り組まれていました。

その例として「誘客なし、予約システムあり、関係構築・維持あり」に該当する、草津温泉を代表する老舗の高級大規模宿泊施設である宿泊施設①では、二〇〇九年からオンライン予約獲得の専門部署を設置することで、宿泊者との双方向コミュニケーションへの常時対応や、予約状況や自社サイトへのアクセス数などのデータの収集・分析による宿泊需要の変化の予測に取り組んでいます。これらにより、宿泊施設①は個人客向けの新しい多様な宿泊プランの企画と日々の掲出プランの組み替えを行い、質的に多様かつ新たな個人客の需要に対応しています。

この取り組みを行うにいたった背景には、二〇〇〇年代後半における、高度経済成長期以来の団体客獲得を前提とした経営戦略の行き詰まりがありました。その対応策として、この施設では個人客獲得を目的にネット利用を積極導入し、旅行代理店経由予約を縮小して誘客手数料の負担を減らす戦略をとりました。その結果、二〇一二年時点での旅行代理店経由予約の割合は、二〇〇八年のおよそ三分の一まで減少しました。この現象は、オンライン取引の特徴である需給の直結機能による中間流通段階の圧縮だといえます。

他方、ネット利用に積極的な小規模宿泊施設でも、ネットエージェントの利用や「特定宿泊者」など、個人化に対応した情報発信による差別化や顧客との関係構築・維持が実施されています。しかし小規模宿泊施設では、宿泊施設①のような大々的な取り組みは容易ではないはずですから、異なる取り組みが進んでいるはずです。

そうした例として、「誘客あり、予約システムあり、関係構築・維持あり」の類型に該当する、二〇〇八年に開業した小規模宿泊施設②が挙げられます。この施設では、経営者が開業時点で草津温泉の宿泊市場は飽和状態だと考え、差別化戦略に取り組みました。そこでこの施設は自身の過去の経験に基づき、草津温泉で唯一、乳幼児連れの若年層というニッチな顧客に絞り込んだ差別化戦略をとっています。

この戦略は宿泊施設②にとって、次の点でネット利用との親和性が高かったといえます。第一には、ニッチな需要を持つ顧客は、宿泊先の選定時にネット上で自身の需要を表すキーワードで検索するため、宿泊施設側が「草津　乳幼児連れ」のように適切にキーワードを設定していれば、自社にはじめから興味のある顧客を効率的に誘導できます。第二に、いかに「乳幼児連れの若年層向け」というコンセプトが斬新であっても、それは週末や休日に集中する顧客層であり、平日の顧客獲得が課題となります。しかしオンライン上の宿泊プランは柔軟に切り替えられるため、宿泊施設②では、平日は高齢者向けの素泊まりプランを中心に掲出しています。つまり異なる客層を柔軟に組み合わせ、需給の安定化を図っています。

これらの取り組みによって、ネットエージェント上で高い口コミの評価を得たこともあり、予約のおよそ八割以上がネット経由で、その半数がネットエージェント経由となっています。またネットエージェント上での返信や、SNSおよびブログを利用した顧客との関係構築・維持を行っています。宿泊者のおよそ六割が二〇代から四〇代で、およそ三割がリピーターになっています。

このように小規模施設では大規模施設のような大々的なネット利用導入は難しいですが、経営者自身の先見の明と、キーワード検索や「柔軟性・低コスト・即時性」といったオンラインマーケティングの特性を組み合わせた差別化戦略によって、質的に新たな顧客層を開拓しているといえます。

一方、ネット利用があまり導入されていない宿泊施設では、主に電話や旅行代理店といった従来の予約手段によって経営を存続しています。例えば八社会に所属する大規模宿泊施設の宿泊施設③は「誘客なし、予約システムあり、関係構築・維持なし」に該当し、予約受付段階のみネット利用を導入しています。予約の割合は電話と旅行代理店経由がそれぞれおよそ四割ですが、オンライン予約の割合はおよそ二割に留まり、従来の窓口経由の予約が優勢です。それは経営者自身が誘客や関係構築・維持段階におけるネット利用導入にまで積極的な意義を見出さず、限定的なネット利用導入に留めているためです。別の例として、小規模宿泊施設の宿泊施設④は七〇代後半の夫婦二名が経営しています。そこでは自社サイトこそ有するものの、「誘客なし、予約システムなし、関係構築・維持なし」に該当し、いずれの段階においてもネット利用を導入していません。予約窓口は電話のみです。それは顧客のおよそ七割がリピーターであり、また客室が八室とごく小規模なため、ネット利用を積極導入して新規顧客を開拓しても、受け入れる余地が少ないからです。さらに、主な顧客も経営者も高齢でネット利用との親和性が低いことも挙げられるでしょう。

このように、オンライン予約だけでなく、電話や旅行代理店といった従来の予約手段は現在でも使われています。そして宿泊施設の中でも、団体客が逓減し個人客が中心になった今日でも、従来の経営戦略で存続できたり、あるいは資金や人材の不足からそうせざるを得ない施設では、積極的なネット利用に意義が見出されにくいままです。そのためネット利用が導入されても、それは予約受付段階のみなど限定的な形をとっています。他方、観光市場の飽和や変化の中で、個人客の獲得に向けた経営戦略が必要と判断した宿泊施設は、予約受付段階のみならず誘客や関係構築・維持段階でもネット利用を導入し、それらを高度経済成長期以来の経営戦略の転換や差別化戦略を具現化する手段として位置づけていました。

つまり草津温泉においてネット利用の積極導入は唯一の最適解でも、誰もが選択できるものでもなく、それゆえに均質的には導入されていないといえます。草津温泉における宿泊施設のネット利用導入は、観光市場の変化と社会全般の情報通信技術の普及に呼応する形で個別的に進行しています。そして、その過程において、従来の経営戦略を維持する施設と、生き残りをかけて多様かつ新たな個人客需要に対応する新たな経営戦略を模索する施設への、宿泊施設の経営形態の分化が進んでいるといえます。

5　まとめ――宿泊施設が求める「自由」の多様性

本章では宿泊施設の経営戦略に着目して、草津温泉のどのような宿泊業がどのようなインターネット利用を、どのように導入しているのかを分析しました。

草津温泉において宿泊施設のネット利用は、誘客、予約受付、関係構築・維持の各段階において、個々の宿泊施設の経営特性に合わせて個別的に導入されており、ネット利用の導入状況は段階間と施設間で不均質でした。その不均質なネット利用導入を通して、草津温泉の宿泊施設は、従来の経営戦略を維持するものと、新たな個人客需要に対応する新しい経営戦略を模索する施設へと経営形態が分化していました。

企業にとってICTの導入には、荒井（二〇〇四）が流通業を取り上げて論じたように、一定の投資を必要とする「桎梏（手枷・足枷）」とそれによる力の創発という「可能性」との両側面があり、今日の企業には桎梏と可能性のバランス判断がつねに問われています。今回の草津温泉の例は、情報化の進展という社会情勢の変化のもと、宿泊業の集積地において、個々の企業が、その経営体力や経営戦略に応じて桎梏と可能性のバランスを判断し、情報通信技術を選択的に導入している例として理解できます。

このケーススタディの示唆として、宿泊施設にとって積極的なインターネット利用は、同じ地域に集積立地している同業種でも、その誰もが採用すべき・採用できる唯一の最適解ではないということができます。結局、経営戦略や競争力が、施設の規模や立地やそれらに基づく社会構造といった「ローカルな束縛の構造」から影響を受けるということ自体は、従来と変わっていません。しかしながら、各々の経営努力や工夫や社会情勢への対応のなかで、ネット利用を効果的に導入した施設は、草津温泉の「ローカルな束縛の構造」の影響を、部分的かつ漸進的ではあるものの、各々のやり方で確実に克服してもいるといえます。

このように「ローカルな束縛の構造」に対して、宿泊業という個々の組織がネット利用導入を通して行った「自由の行為」には、地域内部で複雑な多様性がありました。その多様性は、草津温泉という観光地そのものを変容させていく可能性があります。では草津温泉というローカルな地域の内部で「束縛の構造」と「自由の行為」が相克する時、どのように地域は変容し、そこでいかなる自由や束縛が生じるのでしょうか。次章ではこの問題を考えたいと思います。

第八章　自由の空間的再編成と温泉観光地の変容

前章でみたように、草津温泉においてネット利用を導入するという選択は、宿泊施設の間で多様でした。そして多様な選択がなされながら、各施設は草津温泉の「ローカルな束縛の構造」を部分的・漸進的に克服している――これが前章で分かったことです。

その個別的な「自由の行為」が、草津温泉という特定の地域のなかで重なっていったとき、草津温泉という地域そのものもまた変わっていくはずです。ではそれはどのようなものなのでしょうか。

例えば、仮に前章のように漸進的に個々の宿泊施設の経営の自由が拡大していけば、究極的には、旅館組合や観光協会といった、地域の宿泊施設経営者からなるローカルな組織は不要となるとも考えられます。そうした組織は従来、地域の主体を束縛する存在でしたが、その束縛も失われ不要になっていくのでしょうか。

また本章では、テクノロジーの利用によって、宿泊施設が草津温泉の「ローカルな束縛の構造」から自由になっても、より広い空間スケールに存在する別の「束縛の構造」のもとに置かれるのではないかという問題に取り組みます。すなわち、本章の議論を先取りすれば、草津温泉の一部の宿泊施設は、ネットエージェントを利用することで「ローカルな束縛の構造」からの自由を得ていますが、結果としてネットエージェントという、ある種の全国的な支配構造の存在抜きにはもはや経営が成立しない状態にもなっています。それはローカルな自由を得た代償としての新たな広域な束縛の成立とみることもできます。

本章では引き続き、草津温泉の宿泊施設とローカルな地域組織のインターネット利用の導入状況とそれに伴う変化を分析することで、これらの問題を考察したいと思います。ここでは、そうした地域における変容を明瞭にするために、観光学における「地域主導の観光発展」という枠組みを用いながら議論していきます。

1　観光地の内部空間と外部空間

観光地と「媒介部門」

かつて、日本の高度経済成長期に観光が発展した際、その発展は必ずしも観光地が主導できるものではありませんでした。高度経済成長期の観光発展は、経済発展を背景に余暇の拡大と大都市への人口流入が生じ、特に首都圏では職場での団体慰安旅行という観光需要が大量に発生しました。それを主に受け入れたのは首都圏外縁部の温泉観光地でしたが、こうした地域は首都圏の大手旅行代理店やチェーンホテルが主導する観光開発によって団体旅行の需要を得て急成長したものの、地域社会の意思を軽視した観光開発が行われた結果として、地域資源の劣化や地域外の企業への顧客流出という負の影響が顕在化していきました。

こうした観光発展がもたらした負の影響への反省から、地域が主体的に資源を発見し活用するような「地域主導の観光発展」という考え方が出てきました（石森、二〇〇一、敷田・森重、二〇〇六、白井、二〇〇七）。地域主導の観光発展の基本的含意は、「地域」とはローカルな住民、観光産業、各種団体、行政といった主体や観光資源を包括する存在であり、地域外部の企業や資本による利潤追求を目的とした観光資源の活用ではなく、地域の主体による自律的な観光資源の活用による発展です（石森、二〇〇一、森重、二〇一六など）。

地域主導の観光発展の成立可能性は地理学でも検討されてきました。その主な論点は、観光地の内部に存在する観光産業や団体や組織、住民が、地域の外部に存在する各種企業や観光需要の動向や社会変容に、いかに対応し、その過程で地域の魅力がいかに生み出されるのかという問題です。より単純にいえば、観光地の内部すなわち内部空間が、外部空間の動向に対してどのような関係になれるのかという問題です。内部空間が外部空間に対して支配的になれれば、それは「地域主導」が成立しているのであり、逆に外部空間の力が強く、内部空間が外部空間に従属的でしかあり得ないとき、高度経済成長期のように観光地は自律性を失い、地域の劣化や経済効果の流出が進むといえます。

ただし、内部空間と外部空間は直接結びついているわけではありません。両者を接合するものとして、旅行業者やメディア、また各種同業者団体（旅館組合や観光協会など）といった「媒介部門」が挙げられます。媒介部門の存在は観光現象の成立や、その空間性を理解するために不可欠とされています（Pearce, 2008, 2009）。

地域主導の観光発展の可能性を検討する上では、地域のどのような主体が、どのような媒介部門に、どのような位相でどれだけ頼っているのか、いないのかを把握する視点が必要です。とりわけ経済面における地域主導の可能性を、媒介部門に対する依存関係から検討する必要があります。なぜなら首都圏外縁部の温泉観光地が過去に観光発展の主導権を失っていたのは、経済的な主導権を地域外の企業や観光者に握られ、地域内の観光産業や同業者組織はそれらの経済利益に頼らざるを得なかったからです。

需給接合と情報流通

それでは地域と媒介部門のどのような関係に着目すればよいのでしょうか。観光地の発展においては、単に観光客の獲得という需給接合の局面だけに着目するのでは不十分です。需給接合のためには、地域の魅力をはじめとする観光情報の伝達の局面、すなわち情報流通の局面もまた重要です。しかも今日の情報社会では情報流通局面の影響は一層に拡大しています。

需給接合と情報流通はネット利用の進展と共に再編されつつあります。インターネットを利用した購買行動モデルの代表例であるＡＩＳＡＳ（商品への注目attention、関心interest、検索search、購買action、情報共有shareの略語）に基づけば、購買が需給接合局面であり、関心、検索、情報共有が情報流通局面とみなすことができます。媒介部門に対する依存関係から地域主導の観光発展への移行可能性を検討するには、需給接合と情報流通の双方における媒介部門への依存状況を分析する必要があります。

繰り返し述べるように、観光業は情報発信のオンライン化と相性がよく、特に宿泊業がネット利用を先駆的に導入してきました。宿泊業の情報化に関しては近年ネットエージェントの成長が著しいことを、前章でも指摘しました。ネット利用が一般化する以前、宿泊施設はパンフレットや雑誌などの紙媒体に掲載料を支払って情報発信の機会を得ていました。しかし今では、宿泊施設がネットエージェントに登録すると自社専用のＷｅｂページがネットエージェント上に設置され、そこで独自に情報発信ができるだけでなく、オンライン予約窓口や口コミ・レビュー機能を設置し利用できるようになっています。

紙媒体とネット媒体との違いとして、宿泊施設がネット上で広告費を支払わずに情報発信ができるようになった一方で、宿泊予約の成立時にネットエージェントに手数料を支払うことになりました。ただし手数料は旅行代理店と比べて安くなっています。旅行代理店を利用できる施設は大資本をもつ一部の施設に限定されていました。それがネットエージェントの利用導入により、小売業におけるオンラインモールの例のように、資金力に乏しい中小宿泊施設でも工夫次第では効果的な需給接合と情報発信ができる可能性があります。また宿泊施設は自社のWebサイト（以下、自社サイト）を持ち、独自にオンライン予約窓口を設けつつ、SNSやブログなども情報発信に用いるようになりました。このように宿泊業におけるネット利用導入は、需給接合と情報流通の双方の局面において地域と媒介部門との関係を再編する一つの契機でもあります。特に旅行代理店とネットエージェントは、媒介部門の中でも両局面において大きな位置を占めます。

そこで本章では便宜的に、「媒介部門」とは旅行代理店とネットエージェントを指し、これらに頼らない顧客獲得とは、電話や自社サイトを通した直接的な予約獲得や情報発信を意味することとします。そして宿泊業のネット利用導入という切り口から、地域と媒介部門の関係を理解することで、地域の観光発展がどの程度地域主導になり得るのかが検討できます。

ただし、ネット利用の影響だけで地域や産業の全てが変わるという見方は妥当ではありません。観光学ではICTの普及と発展の中で、個人旅行者間のオンラインコミュニティ上でやりとりされる観光情報が個人の観光行動を決定づける最大の原動力になると論じられています（石森・山村、二〇〇九）。しかし地理学的には、現状では観光産業や観光地が発信する情報や媒介部門の役割が完全に失われているとは現実には考えにくいです。現実の観光地の動向はより複雑であると同時に地域差があるはずです。

本章の着眼点

草津温泉は首都圏外縁部の温泉観光地であり、高度経済成長期に旅行代理店からの画一的な団体客需要を得ることで発展した地域でした。また近年は首都圏の個人旅行者の先進的で多様な観光需要の受け入れ先となる地域です。それゆえ草津温泉は媒介部門との関係再編が進行している可能性が高く、本分析の対象としても最適です。前章では草津温泉において宿泊施設のネット利用導入状況は同質的ではなく、経営戦略に合わせてネットを選択的に導入していることが示されました。

ここでは、個々の施設が独自の経営戦略に基づきネット利用を導入した結果、宿泊施設と媒介部門の関係がいかに変容したのかに注目します。また地域主導の観光発展という意味で、従来、地域の主導役だった旅館組合などの地域組織が、宿泊施設のネット利用導入が進むなかで、いかなる役割を果たしうるのかも検討します。本章ではこうした視点に立ち、引き続き草津温泉のケーススタディを行います。そして観光業のネット利用が進展するなかで、どのような宿泊施設がどのような媒介部門にどれだけ頼るようになったのか、そのことについて地域組織はどのように対応しているのかを、顧客獲得における需給接合と情報流通の双方の局面に注目して検討し、草津温泉がいかに変容したのかを明らかにします。

分析に先立って、前章と同様に、宿泊業におけるネット利用の特性を、小売業におけるネット利用と比較して整理します。情報流通局面では、自社サイトやネットエージェント上に掲載する観光商品の情報は旅行代理店のパンフレットと異なり、各施設が自由に設定し、変更できます。この点は小売業も同様です。しかし前章でも整理したように、小売業ではオンライン上に取引窓口を備えた全国の業者がネットを用いて全国規模で顧客争奪します。しかし宿泊業ではネット上で観光情報の全国流通を実現しても、顧客が宿泊施設へ物理的に移動する際の地理的制約は克服できないため、全国規模での顧客争奪は成立しにくいままです。それゆえ草津温泉のように、宿泊業が集積する滞在型の温泉観光地では、宿泊業は限定的な市場を対象とした、集積内での顧客争奪に主眼を置くと考えられます。この前提からは、草津温泉の宿泊施設はネット利用の導入時には、情報流通局面における集積内での観光商品の差別化や、需給接合局面における媒介部門への支払い手数料の増減や需給調整の効率化などに主眼を置くと仮定できます。

第二に、小売業と異なり宿泊サービスという商品には「翌日に持ち越せる在庫」が存在しません。小売業では商品を一度手元に置けるので、いわば、商品が今日売れなくても、必要な期日までに売れれば問題ありません。しかし宿泊業では売れなかった「今日の空室」は在庫として翌日に持ち越せません。翌日に「今日の空室」を売ることはできないので、損失になります。この点に留意すると、宿泊施設側では手数料支払いが多額となっても媒介部門を利用するという、機会損失を避ける意識が働くはずです。こうしたリスクヘッジとしての媒介部門利用は、卸売業等に敷衍すれば他産業でも一般的な行為です。ただし宿泊業の場合、インターネットの進展によって、もし宿泊施設が情報流通と需給接合を独力で実施して媒介部門の完全排除が理論上は可能になっても、このリスクヘッジの意識がより強く働くため、結果として媒介部門に頼らざるをえない状況が形成されていると考えられます。

この検証は本章の重要な論点です。なぜなら旅行代理店やネットエージェントは観光地の内部で完結するローカルな存在ではなく、より広域な空間に展開する存在だからです。ネット利用がどんなに進展しても、サービスという商品の特性が誘引する経営者のリスクヘッジの意識によって、結局、より広域な空間における束縛から地域の諸主体は逃れられなくなっている蓋然性を無視できません。それは観光地の諸主体が、いかなる空間で自由になりうるのか、テクノロジーや媒介部門の活用によってローカルな空間における自由を得たことが、逆説的に、より広域な空間における束縛を意味するのではないかといった問題につながる論点です。

2 草津温泉の宿泊施設と媒介部門

まず、草津温泉の全宿泊施設を類型化します。今回は施設の規模に宿泊価格を加えた二軸から類型化します。類型化の基準は、規模は前章と同様に旅館組合の基準を用いました。価格は全施設の宿泊価格の中央値（最高価格一万五七五〇円、最低価格八四〇〇円）を基準に、最高価格か最低価格のいずれかがそれぞれの中央値以上である施設を「高額施設」、中央値未満のものを「低額施設」としました。また「価格不明施設」も一定数あるので、これは独立した類型として補足的に扱います。

結果として、全体の一一・八%にあたる二二軒が大規模施設となりますが、このうち低額施設と価格不明施設は各三軒、一軒とわずかであるため、独立させず大規模施設に一括します。小規模施設は、小規模高額施設（四八軒、全体の二五・七%）、小規模低額施設（五〇軒、二六・七%）、小規模価格不明施設（六七軒、同三五・八%）に類型化ができます。

以下では類型ごとに、全宿泊施設を対象とする施設の基本情報とネット利用状況（表23）、事例施設の概要とネット担当者（表24）および媒介部門の利用状況と予約手段構成（表25）を分析します。

大規模施設と媒介部門

本類型は社会組織加盟率が高く、ペンション協会を除いて、いずれも全体よりおよそ一五～四〇%程度高くなっています（表23）。八社会加盟施設は本類型にしかみられません。旅行代理店の利用施設は草津全体の利用施設一八軒中一六軒を占めます。宿泊価格は類型間で最も高額です。

ネット利用については、自社サイトと予約システム所有率はいずれも一〇〇%で、SNS利用率とブログ利用率も全体よりおよそ二〇～三〇%ほど高いです。ただし差別化キーワードの設定率は二七・三%と、全体の平均（三〇・五%）をやや下回ります。ネットエージェントの利用率は一〇〇%で、施設あたりの平均利用数は本類型のみ二・〇をこえています。口コミへの返信率は全体の三五・三%に対して六八・二%となります。一方、客室あたりの掲載プラン数は、全体が〇・四ないし〇・五であるのに対し、本類型では〇・二と、全体の半分程度の掲載数です。

これらを解釈すると、本類型は草津温泉を代表する施設を少なからず含んでいます。そして多くの客室の稼働率を高める必要があるので、旅行代理店とネットエージェントの両方を利用しています。SNSやブログ、口コミ返信といった顧客との関係構築、維持面でのネット利用にも積極的であるものの、キーワードによる差別化や多数のプラン掲出はあまり見られません。

事例施設のネット利用体制を見ると（表24）、これらの施設では、客室あたりの従業者数が一施設を除いていずれも一・〇以上であり、ネット専門の部署を設置する施設も二軒みられます。この二軒では担当者をITの利用スキルや企画、調整能力といった、他の施設とは異なる理由で選任しています。つまり従業者数自体が多いので、ネット利用にも人員を配置しやすいということです。ただし大規模施設でも、自社サイトを担当者個人が興味的に自作する例や、代表者本人が単独でネット利用を担当する例もみられ、すべての施設がネット利用を大々的に導入しているわけではありません。

媒介部門は、ネットエージェントと旅行代理店をともに三社程度利用しています（表25）。予約構成は代理店経由の予約が施設Aでは八〇%を占め、多くの施設が二〇%～五〇%を占めています。なお、比較的客室数の少ない施設E、Fは電話予約の割合も高いです。これら施設A、E、Fの共通点はリピーター

表23　草津温泉における宿泊施設の基本情報とネット利用状況

	全体		大規模		小規模 高額		小規模 低額		小規模 価格不明	
	実数	構成比	実数	構成比	実数	構成比	実数	構成比	実数	構成比
該当施設数	187	100.0%	22	11.8%	48	25.7%	50	26.7%	67	35.8%
平均客室数	18.9		77.6		10.7		9.6		9.7	
平均創業年	1957.5		1953.1		1953.3		1965.0		1961.3	
社会組織加盟状況										
日観連	30	16.0%	12	54.5%	14	29.2%	4	8.0%	0	0.0%
観光協会	117	62.6%	21	95.5%	48	100.0%	48	96.0%	0	0.0%
旅館組合	116	62.0%	17	77.3%	48	100.0%	36	72.0%	15	22.4%
八社会	9	4.8%	9	40.9%	0	0.0%	0	0.0%	0	0.0%
ペンション協会	26	13.9%	0	0.0%	3	6.3%	21	42.0%	2	3.0%
温泉街地区立地	77	41.2%	11	50.0%	32	66.7%	16	32.0%	18	26.9%
旅行代理店利用	18	9.6%	16	72.7%	2	4.2%	0	0.0%	0	0.0%
宿泊プラン平均価格										
最高	15,750.0		27,000.0		17,325.0		10,000.0			−
最低	8,400.0		11,000.0		10,575.0		6,500			−
自社サイト										
自社サイト所有	142	75.9%	22	100.0%	41	85.4%	44	88.0%	35	52.2%
予約システム所有	91	48.7%	22	100.0%	31	64.6%	20	40.0%	18	26.9%
差別化キーワード	57	30.5%	6	27.3%	18	37.5%	21	42.0%	12	17.9%
SNS 利用	21	11.2%	7	31.8%	5	10.4%	6	12.0%	3	4.5%
Blog 利用	44	23.5%	13	59.1%	12	25.0%	11	22.0%	8	11.9%
ネットエージェント										
利用施設	137	73.3%	22	100.0%	42	87.5%	42	84.0%	31	46.3%
平均利用数	1.8		2.5		1.7		1.6		1.6	
返信施設	66	35.3%	15	68.2%	19	39.6%	21	42.0%	11	16.4%
掲載プラン数/客室数 中央値										
自社サイト	0.4		0.2		0.5		1.1		1.3	
じゃらん net	0.5		0.2		0.6		1.3		1.3	
楽天トラベル	0.4		0.2		0.4		1.3		0.8	

(現地調査および旅館組合と観光協会の資料，各施設の Web サイトおよびネットエージェント上の情報，佐々木（1997）により作成)

率の高さです。聞き取り調査では、

「(旅行代理店を通じた)団体予約の確保が全社的な戦略であり、団体で埋まらない枠を埋めるのがネットの役割。ネットはすぐに広く速く在庫を埋める役割で、サブ的な位置にある(施設A)」

といった意見が得られており、団体予約を含むリピーターが供給される予約手段が中心的な位置にあると理解できます。

一方リピーター率が比較的低い施設B、C、Dでは自社サイトやネットエージェント経由予約の割合が比較的高いです。その事例として施設Cでは、施設Aのような団体客中心の経営が行き詰まり、経営コンサルタントの主導で二〇〇九年から二〇一二年にかけて組織改編を行った経緯があります。そして旅行代理店への手数料支払の削減と自社サイト経由予約の拡大を目標として、社内にネット専門の部署が設置され、そこではネットエージェント上の「人気ランキング」の監視や、蓄積された顧客情報のデータ分析に基づくプラン掲出等を行っています。これらの施策の結果として、二〇一二年には旅行代理店経由予約の件数を、二〇〇八年のおよそ三分の一に圧縮することに成功しました。

全体として、大規模施設では依然として旅行代理店が多く利用されているものの、リピーター率の低い施設ではネットエージェント経由予約の割合も二〇~三〇%認められ、類型内で媒介部門の使い分けに差異が見られます。

表24　事例施設の概要とネット担当者（2012年）

		客室数	創業年	従業者		ネット担当						自社サイト金額（概算）
				総数	家族	担当者	ネット専門	人数	年齢	学歴・前職IT系	選任・担当理由	
大規模施設	A	179	1964	300	5	部署		7	40代		予約業務の延長	300
	B	162	1968	250	0	部署	○	4	不明		企画・調整能力	740
	C	125	江戸	130	3	部署	○	2	20代	○	ITスキルが必要	86
	D	43	1599	50	4	息子娘		1	40代		本人の興味	0
	E	37	1951	12	2	代表者		1	50代		予約業務の延長	736
	F	31	江戸	45	0	代表者		1	60代		予約業務の延長	760
小規模高額施設	G	10	1991	30	4	息子娘		1	40代		若いから（適任者無）	404
	H	12	1600	6	2	息子娘		1	60代		予約・宣伝業務の延長	89
	I	6	戦前	6	4	代表者		1	40代		本人の興味	108
	J	9	1900	6	4	息子娘		1	30代		若いから（適任者無）	88
	K	14	1874	9	3	代表者		1	50代		宣伝業務の延長	54
	L	14	明治	10	4	息子娘		1	30代		若いから（適任者無）	10
小規模低額施設	M	8	1982	3	3	親戚		1	不明		身内に適任者有	0
	N	10	2008	6	3	代表者		1	50代		予約・宣伝業務の延長	10
	O	17	1974	8	4	息子娘		1	40代		若いから（適任者無）	24
	P	15	1970	4	4	家族		2	30代	○	身内に適任者有	20
	Q	13	1982	3	3	白子娘		1	40代		若いから（適任者無）	198
	R	8	1939	2	2	代表者		2	70代		予約・宣伝業務の延長	0
	S	6	2004	2	1	家族		1	不明		身内に適任者有	不明

注）空欄は該当なし。　（現地調査および旅館組合と観光協会の資料により作成）

小規模高額施設と媒介部門

本類型の社会組織加盟率は、観光協会・旅館組合については一〇〇％で、日観連加盟率も草津全体より高い二九・二％です（表23）。ただしペンション協会への加盟率は六・三％に留まっています。温泉街立地率は六六・七％と類型間で最も高く、これらの状況から本類型は主に、小規模施設ではあっても、草津温泉の代表的な施設から構成されていることがわかります。ネット利用状況に関する各項目の該当率や客室あたりの掲載プラン数は、草津全体と同水準に留まっており、自社サイトやネットエージェントを利用しない施設も少数ながら認められます。したがって、代表的施設ではあるもの

表25　事例施設の媒介部門利用状況と予約手段構成（2012年）

		媒介部門利用数		予約構成						リピーター割合（概算）
		NA	代理店	旅行代理店	自社サイト	NA	ネット全体	電話	その他	
大規模施設	A	3	3	80%			10%	10%		70%
	B	3	3	50%	15%	20%		15%		30%
	C	3	3	40%	25%	25%		10%		5%
	D	3	3	20%	15%	30%		10%	25%	10%
	E	2	1	30%			20%	50%		30%
	F	4	3	40%	12%	8%		40%		85%
小規模高額施設	G	2	2	45%	10%	10%		35%		40%
	H	2	0		10%			90%		40%
	I	0	0		70%			30%		35%
	J	1	0		12%	28%		60%		60%
	K	2	0			50%		50%		50%
	L	2	0		14%	56%		30%		90%
小規模低額施設	M	2	0				50%	50%		50%
	N	2	0		43%	43%		15%		30%
	O	2	0			80%		20%		30%
	P	2	0		5%	85%		10%		35%
	Q	2	0		8%	72%		20%		50%
	R	0	0					100%		70%
	S	1	0			100%				30%

注1）NA…ネットエージェント。
注2）空欄は該当なし。

（現地調査により作成）

の積極的なネット利用は広く認められません。

事例施設では、客室あたりの従業者数が一・〇を下回る施設が六軒中四軒あり、ネット専門部署を置く例はみられないなど、その経営体制は、人員の豊富な大規模施設とは異なっています（表24）。

ネット担当者は代表者かその息子・娘であり、その選任理由も施設I以外では「若いから（適任者無）」「予約・宣伝業務の延長」など、手持ちの少ない労働力を工面しています。実際に施設Jでは「自分が一番若いから担当ということになっているが、家族経営なので実際は家族全員で対応することになる」という状況です。

媒介部門の利用をみると、事例

施設では施設I以外すべてがネットエージェントを利用します（表25）。旅行代理店を利用するのは施設Gのみで、この施設では代理店経由予約が四五％を占めます。ネットエージェント経由の予約は二八％から五六％を占めます。

この状況に関する施設の見解の一つとして、施設Jでは、「ネット（エージェント）で宣伝していないと集客がない」と状況を判断しているものの、

「ネット（エージェント）によっていままでと違う客層がくるのではと心配していたが、たしかに客層は広がったけれども、うち（自施設）に合った人が来てくれるようになった。おそらくいろいろ調べてから来る人が多くなったのでは」

と、ネットエージェントを肯定的に評価しています。また宿泊施設にはネットエージェントから社員が派遣され、オンラインマーケティングの助言が行われることがあります。その社員について同施設は、

「（ネットエージェントの利用開始時に）プランの作り方など、いろいろ提案してくれたから宿の個性が出て、お客がきてくれた」

と証言し、オンラインマーケティングに不慣れな小規模施設への対応に積極的な評価が下されています。

一方で、本類型のリピーター率は三五％から九〇％と他類型と比して高く、それを反映する形で、予約に媒介部門を介さない傾向が強いことも指摘できます。電話予約の割合も三〇％から九〇％を占め、自社

サイト経由予約の割合は施設Iでは七〇%です。この施設Iでは担当者自身の、

「(ネット上に書かれる)口コミに惑わされるのはよくない。自分の本当にすべきことができないと考えた。だからネットエージェントと契約しない。(個人的な印象と前置きした上で)ネットエージェントや(旅行)代理店は『上から目線』で嫌な感じがする」

といった考え方や、自身の技術的興味から、媒介部門を利用せず自社サイト経由予約を増やす方針をとっています。ただし同時に自社独力でのオンラインマーケティングの難しさも認めており、「ネットエージェント(の利用施設)には検索順位でどうしても負けてしまう」とも懸念しています。

また電話予約が中心である施設Hはネットエージェントに対する同様の思考から、

「ネット(エージェント)で調べてただ安ければよいという客が増えている。(ネットエージェントを使う他施設との)価格競争に巻き込まれており、リピーターを大切にしないと維持できなくなっている。今は(宿泊者が)情報を大量に収集できる買い手市場になっている。ネットで予約した人は常連になりにくいと経験的に感じる」

といった証言のように、リピーターを優先しネットエージェント経由の予約受け入れは最小限としています。便利で新しいサービスであるネットエージェントに対する、経営者たちの複雑な見解が垣間見られます。

以上のデータや証言例をふまえると、本類型は高価格帯であっても、従来から顧客確保が維持できている施設と位置づけられます。それは「他でもないその施設」が顧客から選定されるため、高いリピーター率を持ち、それゆえあまり媒介部門を介さず、直接予約を主とできるのだといえます。そして、だからこそこの類型はネットエージェントと一定の距離を置こうともしているとも評価できます。

小規模低額施設と媒介部門

本類型は観光協会と旅館組合の加盟率は全体と同水準ですが、平均客室数が九・六と最も小規模です（表23）。ペンション協会加盟率が四二・〇%と特に高く、温泉街立地率が三二・〇%に留まり、本類型は高原地区のペンションをより多く含んでいます。

ネット利用をみると、自社サイトと予約システムの所有率は前の二類型よりやや低いものの、草津全体と同水準であり、SNSとブログ利用率も同様です。一方で差別化キーワードの設定率は四二・〇%で類型間で最も高く、全体より一二%程度高くなっています。またネットエージェントは利用率八四・〇%、返信率四二・〇%と、これらも全体より高い数値です。客室あたりの掲載プラン数はいずれも一・〇以上で、客室数に比して最も多くのプランを掲載しています。すなわち本類型は顧客獲得や関係構築・維持のために最も積極的にネット利用を行っています。

しかし表24で事例施設のネット利用体制を見ると、多くの施設の担当者は代表者やその近親者で、ネット専門部署を置くものはありません。これは小規模高額施設と同様ですが、一室あたりの従業員数はさらに少ない〇・二から〇・六です。つまり小規模高額施設以上に、労働力の少ない中でネット利用を積極導入しています。

表25によれば、本類型の事例施設は、リピーター率が概ね三〇〜五〇％と比較的低い水準です。例外的にリピーター率が高い施設MとRでは電話予約の割合が五〇％、一〇〇％を占めています。その例として施設Rでは客室が八室で、経営者と従業者が八〇代の夫婦のみであり、大規模に誘客しても多量の顧客を受け入れられず、電話予約のみを受け入れているという現状があります。

一方リピーター率が三〇〜三五％と低い施設では、電話予約の割合が一〇〜二〇％に留まり、ネットエージェント経由での予約が施設Nでは四三％、施設O、P、Qでは七二％から八五％、施設Sは一〇〇％を占めています。施設Sでは予約手段をネットエージェントのみとし、素泊まりのプランを中心に掲出していますが、これは従業者と経営者の計二名のみで効率的に宿泊施設を経営するための手段という側面もあります。実際にその経営者は高齢者ですが、ネットエージェントでの予約成立をＦＡＸで受け取る機能を利用することで、ＩＣＴと高齢者との親和性の低さという問題を解決しています。

施設Nでは、二〇〇八年に開業した後発施設であり、開業時にある差別化したコンセプトを掲げた結果、子育て世帯を中心に、ネットエージェントの「じゃらんｎｅｔ」上で高い口コミ評価を得ることができました。そして当該サイトからの予約が多く、

「建物が古いため、同じ料金でも部屋の質に差があるので、リピーターやじゃらん（ｎｅｔから）の顧客をよりよい部屋にまわす」

といった取り組みも行っています。差別化に成功した本施設では、自社サイト経由予約の割合も四三％と高い水準にあります。

以上のように、本類型はリピーター率が概して低い傾向にあり、客室数や労働力の面で経営資源は豊富ではありません。これらの施設は、そうした条件の不利性を解消する手段としてネットを積極活用している側面があります。そしてその結果として、ネットエージェントが多用されています。

3　宿泊施設と媒介部門への依存関係

媒介部門との関係――需給接合局面――

宿泊施設における媒介部門の位置づけは、施設によって異なることが分かりました。全体として、大規模施設は多数の客室に効率的に顧客を獲得して配分するために、複数の媒介部門を柔軟に組み合わせています。そのなかで旅行代理店の利用は減少しつつあり、ネットエージェントへの転換や直接予約化が進んでいます。小規模高額施設では労働力の少なさとリピーター率の高さを背景に、予約構成上は電話による直接予約が支配的であり、旅行代理店、ネットエージェントともに媒介部門の役割が相対的に小さくなっています。一方、小規模低額施設では労働力と客室数がより少なく、予約構成上はネットエージェントの割合が各類型のなかで最も大きくなっています。経営資源が最も少ないこのグループの施設は、低いリピーター率や労働力、客室数の少なさといった経営上の不利を解消する目的で、ネットエージェントという外部組織を、効率的な集客を支援してくれるツールとして利用しています。しかしそのことは、ネットエージェントなしには顧客獲得が維持できない状況にあることも意味しています。

地理学ではこれまで、小売業のオンラインマーケティングにおいて、検索サイトで表示される順序や人気ランキングといったネット上での事業者の序列が、現実空間での社会的地位や企業規模と必ずしも一致しないため、オンラインモール等の活用方法によっては小規模事業者が大きな利益を得られると考えられてきました。

しかしながら、宿泊業ではいかにオンラインマーケティングを駆使しようとも、観光地の地理的条件や施設規模といった制約によって、宿泊施設が獲得できる顧客数の大幅増加が望めません。なので媒介部門を利用する上では、手数料や労働量の削減といったコストダウンや、リピーターの確保、稼働率の底上げといった効果が生じなければ、媒介部門経由での予約の拡大は宿泊施設にとって余計な支出（支払い手数料）の増加を意味します。

宿泊施設にとって予約一件あたりの手数料支払額は、予約経路別に、旅行代理店→ネットエージェント→自社サイトと電話の順になります。大規模施設では旅行代理店経由の予約をネットエージェントや自社サイトや電話に移行させ、手数料を圧縮できています。しかしそもそも旅行代理店を利用していなかった多くの小規模施設では、ネットエージェントの利用はそのまま経済負担の増加を意味します。

つまり、こうした媒介部門による効果は、草津温泉では、概して大規模施設がそれを享受しつつあります。しかし小規模施設では、ネットエージェントの導入から得られる効果は比較的薄いです。なかでも小規模で低額な施設は、より少人数での経営が可能になるというメリットはあるかもしれませんが、ネットエージェントを用いて経済負担の増加を受け入れなければ顧客獲得がままならないという状況にあります。

さらに、宿泊サービスの商品特性として、翌日に持ち越せる在庫が存在しません。この特性から、宿泊施設としては媒介部門に手数料を支払ってでも、在庫の持ち越しのリスクを避ける意識が生じます。小規模低額施設が、導入効果が薄いにもかかわらずネットエージェントを利用する一因は、このリスクヘッジへの意識に求めることができます。また大規模施設でも、旅行代理店からネットエージェントへの転換によって手数料支払額を減少させてはいますが、完全な直接予約化に踏み切るのはリスクヘッジの必要から簡単ではないので、一定程度はネットエージェントを利用せざるを得ません。

以上のことから、草津温泉における宿泊業の媒介部門に対する依存関係は、①大規模施設では現状維持あるいは弱まっているが、条件の不利な一部の小規模施設では強化されている、②施設の経営形態や戦略により程度の差はあるものの、宿泊サービスの商品特性を背景として強いリスクヘッジへの意識が働き、結果としてネットエージェント依存に陥りやすい状況が形成されつつあると説明することができます。

媒介部門との関係——情報流通局面——

ただし、草津温泉の宿泊施設の経営は、ネットエージェントから一方的に束縛されるだけではありません。情報流通局面では宿泊施設側が主体的で自由な取り組みを行える余地が認められます。

宿泊施設は自らの情報をネットエージェント上に掲載できますが、需給接合局面とは異なり、情報の掲載だけでは手数料は生じないので、宿泊施設は独自の情報をより自由に創出し流通させやすくなったといえます。ただ、ネットエージェントに情報を掲出すればネットエージェント経由の予約が増え、需給接合局面でのネットエージェントへの依存が高まる蓋然性はあります。ネットエージェント依存が顕著な小規模低額施設がその例だといえるでしょう。

一方、旅行代理店を介した情報流通は紙媒体を用いるため、宿泊プランの企画から実際の情報流通までにタイムラグが生じます。またプランの策定や情報流通の方法を決めるために代理店との調整が必要であるなど、ネットエージェントのように自由で柔軟な情報掲出は難しいです。大規模施設では旅行代理店経由の予約が縮小していることから、情報流通局面における旅行代理店への依存関係も薄れています。

ただし情報流通に関しては、媒介部門の他に自社サイトも積極的に利用されています。例えばSNSやブログを用いた顧客との関係構築・維持や、差別化を図るキーワード設定は草津温泉全体で一〇から三〇%ほどの施設で認められ、聞き取り調査では社内に蓄積された予約データに基づく効率的なプラン掲出という先進的な取り組みもみられました。

また、各宿泊施設は自社サイトのソースコードに、閲覧者すなわち潜在顧客に訴求したい自施設の魅力をキーワードとして凝縮的に表します（表26）。このうち特定宿泊者や体験分野のキーワードでは、新しいタイプの宿泊サービスが訴求されています。また貸切浴場、スポーツ、施設・設備、浴場、価格等の諸分野のキーワード群の一部には、草津温泉における飽和状態の宿泊市場において地域内の他施設との差異や自施設のこだわりを強調しようとする宿泊施設の意思が読み取れるものもあります。

Webサイトや SNSなど新しいツールが出現しても、結局その利用方法は、個々の経営能力や情報発信能力に依拠する面もあります。そのため、ツールを活用できる者とそうでない者との分極化が進んでいきます。今回の事例は、草津温泉というローカルな地域内部でその分極化が進んでいることを示しています。そしてその分極化は、一部の施設が自らの能力を生かしてツールを活用し、それを通じて独自の宿泊サービスの創出や、その情報流通を具現化しようとした結果であると評価できます。草津温泉ではこれらの結果として、地域全体として提供可能なサービスが先進化し多様化しています。逆にいえば、草津温泉という観光地が観光客にとってより「魅力的」になっているとすれば、その一因は、情報流通局面におけるネット利用をめぐって、個々の施設がより自由な顧客獲得方法を模索したことにあるといえます。

表26　草津温泉における宿泊施設のWebサイトのキーワード

分類	キーワードの例	該当宿泊施設数
特定宿泊者	バイク，カークラブ，ツーリング，ペット，ペットと泊まれる，犬，ビジネス，素泊まり，持込，自炊，子ども，赤ちゃん	46
貸切浴場	家族風呂，貸し切り風呂，貸切温泉，露天風呂付き客室，露天風呂付き客室の宿，プライベート温泉	45
体験	ロケ地，湯もみ，押し花，パッチワーク，マクロビオティック，歌謡ショー，イチゴ狩り，エステ，体験	17
イメージ	家庭的な旅館，小さな湯宿，心の宿，高級，アットホーム，和風旅館，老舗旅館，リゾート，カントリー，贅沢，癒し，おもてなし，くつろぎ，ニュースタイル，気楽，純和風，昔心，香句の宿，湯菜，湯篭りの里，便利，和モダン，和風，スパリソート，リゾートイタリアン，食事，グルメ，お酒，カクテル，キノコ，さんさい，ソムリエ，ハーブ，パン，フルコース，ヘルシー	38
料理	リゾート，ランチ，レストラン，ワイン，家庭料理，釜めし，京懐石，山の幸，山菜料理，手作り，旬の味覚，上州牛，きのこ鍋，花豆，料亭，カフェレストラン	28
自然・動物	動物，高原，自然，雪，白樺林，アウトドア，森，静かな自然	13
スポーツ	ウォーキング，ゴルフ，ゴルフ場，サイクリング，スポーツ，ツールド草津，テニス，ハイキング	12
浴場	天然岩風呂，岩風呂，岩盤浴，畳風呂，石風呂，尻焼，しりやき，サウナ，檜風呂，露天，野天，露天風呂，足湯	22
価格	得，1万円以下，リーズナブル，格安，割引，激安，草津温泉の安い宿，低料金，お安く，最低価格保証	20

（各施設のWebサイト上の情報により作成）

　ただし、このような趨勢のもとでは、もはや宿泊施設は自分自身の才覚と努力のみで経営を発展させていけばよいということになります。しかし草津温泉のような温泉観光地では、伝統的に旅館組合や観光協会といった地域組織が存在し、これらの組織では地域内部の諸主体が協力しあって観光発展を進めてきました。宿泊施設の経営が独力化・個別化しているとしたら、こうした地域組織にはもはや存在意義はないのでしょうか。

　これらの組織は、草津温泉というローカルな内部空間において、宿泊施設の経営を「協力」「助け合い」といった形で統御して、いわばローカルな自由を束縛していた存在でもあります。宿泊施設はそれらから解放されるのでしょうか、あるいは解放されてよいのでしょうか。つづいて、ネット利用をめぐる宿泊施設の動向について、地域組織がどのように対応していったのか、そこに新しい役割はあるのかという問題を検討したいと思います。

4　ネット社会化への地域組織の対応

観光協会の対応

草津温泉の観光協会は一九七五年に設立され、その目的は飲食業等も含む草津温泉全体の観光宣伝にありました。それゆえ観光協会は地域の宣伝を目的として、「湯Ｌｏｖｅ草津」という地域観光情報サイトを設置し運営しています。「湯Ｌｏｖｅ草津」の原型は、一九九七年に草津町役場の若手職員が一名で運営したネット掲示板です。これは行政と観光客とが直接コミュニケーションができる場を設けるという目的によるものです。誰もが日常的にネットを利用している今日とは異なり、当時の町役場の観光情報発信は即時性が損なわれがちでしたので、ネット掲示板はそれを改善するための取り組みでした。一九九七年にそれを行っていたのはある程度先駆的です。

この職員は当初、閲覧者の書き込みに一時間以内で返信することを目標としていました。しかし次第に書き込みも増え、職員の労力的な限界に到達したため、運営を二〇〇〇年四月から観光協会に移譲し、現在のサイト形態に刷新されました。

移譲後も、閲覧者とのコミュニケーションを重視するという姿勢は引き継がれました。「湯Ｌｏｖｅ草津」では天候やイベント情報、交通情報等が毎日更新され、問い合わせメールには即日返信することが原則です。「毎日何かしら新しい『動く情報』を出すこと」が、草津温泉への観光を考える閲覧者の安心に繋がるというのが現運営者の考えです。結果として、調査時点で観光協会のメールマガジンには九千人以上が登録し、ツイッターは九一〇九人のフォロワー、湯Ｌｏｖｅ草津のアクセス数は、後述する旅館組合の運営サイト「ゆもみネット」のおよそ七倍となっています。

また、観光協会は二〇一一年度には一三の地域イベントを主催、共催し、マスコミから一三三件の取材の受け入れ窓口となりました。ネット利用導入による情報発信は好評ですが、それだけでなく、観光協会には元来の利害調整役、地域の窓口としての組織的役割も地域内外から求められています。

旅館組合の対応

草津温泉の旅館組合は一九五六年に設立されました。一般家庭への電話の普及が進んでいなかった当時は、観光客が宿泊予約を行わずに草津温泉に来訪するため、各宿泊施設による客引き行為が常態化しており、それによるトラブルが頻発していました。こうした中、旅館組合とそれが運営する旅館案内所は、客引き行為を規制し、その代わりに組合員である各施設へ顧客獲得機会を平等に提供するために、八社会施設の主導のもとで設置されました。

案内所は六班に分けた加盟宿泊施設へ、大規模施設を優先しつつ日替わりで顧客を案内するものでした。どの施設を紹介するかは案内所が選定し提案するため、宿泊者がネットで豊富な選択肢の中から宿泊施設を選ぶ現在の状況と比較すると、顧客側の意志が今よりも尊重されていない方法です。こうした方法が取られたのは、当時の組合が宿泊者のニーズを尊重することよりも、組合員に平等に顧客を分配することを目的としていたからだといえます。

つまり当時の旅館組合は旅行代理店に準ずる需給接合機能を形成しており、とりわけ、旅行代理店を利用できない小規模施設にとっては、大規模施設が収容しきれない顧客を得る形で顧客を安定確保できる貴重な存在でした。しかし、それは概ね一九六〇年代末までの評価であり、全宿泊者に対する案内所利用率は最も古いデータのある一九七〇年から減少し続け、近年は一%台前半で推移しています。その一因として宿泊施設経営者の中には、観光が東京の旅行代理店主導となる中で、顧客の平等分配を至上目的とした旅館組合は、それに対抗しうる企画力を持てなかったからだという見解を持つものもいます（調査時の証言による）。

ただし時代の流れのなかで、旅館組合もネット利用を進めています。ネット利用の端緒は、一九九八年に草津温泉の宿泊施設への求人情報を組合で一括して掲出したことです。ここでも「宿泊者のため」ではなく「組合員（宿泊施設）のため」という、「組合」たるこの組織の特性が現れています。それが二〇〇九年に、当時の組合の青年部が主導する形で刷新され、加盟施設の検索・予約サイトである「ゆもみネット」が開設されました。さらに二〇一四年には検索・予約システムの改善と、外国人向けの検索システムの設置が行われました。これらはネット予約の一般化のなかで台頭したネットエージェントへの対抗措置でした。つまりかつての旅館案内所の地域的な機能をネット上に再構築し、ネットエージェントに奪われつつあった需給接合機能の再強化を企図するものです。

しかしながら、旅館組合や事例施設への聞き取り調査によれば、ゆもみネット経由での宿泊者数は極めて限定的です。需給接合機能の再強化は成功しているとはいいがたいです。

そもそも旅館組合は、組織自体の目的が誘客や情報発信ではなく、組合員間の公平な顧客分配にあるため、顧客獲得を目的とするオンラインマーケティングとは目的が異なっています。またそうした組織であるがゆえに、ＩＣＴとマーケティングのスキル不足という問題も抱えます。ローカルな「組合」という特性から、ネットエージェントに対抗しうる需給接合機能の再強化は困難にならざるを得ません。また宿泊施設が個別かつ独力で顧客獲得を進めようとしている今日では、一部の経営者からは誘客に関して、有力な大規模施設の方が旅館組合よりも優れた知識を持っているという意見も得られています（調査時の証言による）。

しかしながら、旅館組合は必要ないと考えられてはいません。事例施設への聞き取り調査では、旅館組合を、他の施設の経営者との交流を通して誘客戦略を得られる情報収集の場として位置づける若手経営者もいます。

また旅館組合では設備利用の知識共有や資本借り入れの仲介、観光協会と共同した各種地域イベントの準備と開催、さらには旅行代理店やスポーツおよび音楽合宿者に対する営業活動を地域で一括して行うといった、組合だからこそ可能な地域的な取り組みが続けられています。これらの取り組みは個々の施設単位で実施するのは難しいため、多様な宿泊施設が束となって行う価値があり、それを束ねる存在として旅館組合は代替不可能な存在といえます。ごく小数の有力な大施設ではこうした取り組みも個別に独力で実施可能かもしれませんが、小規模施設が集積する草津温泉では、相互扶助の場としての組合の役割には今日でも一定の意義があると評価されるべきでしょう。今日の旅館組合には、媒介部門に準ずる需給接合機能の形成よりも、経営者間のローカルで緊密な地域共同体としての伝統的な役割が、組合員たる宿泊施設から求められています。

以上のように、観光協会と旅館組合のネット利用導入をめぐる対応から、ネット利用が進み個々の宿泊施設が個別・独力で顧客獲得を進めようとするなかでの、地域組織の役割を分析しました。観光協会と旅館組合は、宿泊施設のネット利用が進むなかで、自らもネット利用を導入し、需給接合および情報流通の機能の形成と強化を図りました。観光協会による情報流通は成功裏に展開しているものの、旅館組合による需給接合は、組織目的の相違や相対的なスキル不足等によって十分な成功をみていません。その一方で、両組織には、地域全体の利害調整の場という元来の役割が、地域内外から一層に求められてもいます。ネット社会化が進んだからこそ、逆説的に、こうしたローカルで伝統的な組織の本質的な役割が問われているといえます。

5 まとめ――個別化する自由と空間的再編成

本章では、首都圏外縁部の温泉観光地である群馬県草津温泉において、宿泊施設がどのようにネット利用を導入し、それによってどのような施設が顧客獲得をどの程度まで媒介部門に頼るようになったのか、その状況に地域の同業者団体はいかに対応したのかを、需給接合と情報流通の両局面に注目して検討することによって、草津温泉の変容の解明を試みてきました。

結果として、情報流通局面では、宿泊施設によるネットエージェントと自社サイトを組み合わせた情報流通環境が形成され、それを特に推進し活用した一部の施設によって、新たな観光サービスが創出されました。それは、草津温泉全体としての、個人客向けの観光サービスの提供の進展を意味します。そして②需給接合局面については、大規模施設や一部の小規模高額施設で、宿泊予約における旅行代理店からネットエージェントへの転換や、自社サイトへの直接予約化が生じていました。また条件の不利な小規模施設などでは、ネットエージェントへの依存化が顕著であることも明らかとなりました。

つまり草津温泉では、情報流通局面では宿泊施設によるネットエージェントの主体的な活用が広がる一方、需給接合局面では旅行代理店からの脱却とネットエージェントへの依存の両方が生じ、施設と媒介部門との関係が施設間で分化しています。いい換えれば、草津温泉における宿泊業はネット利用導入を通して、情報流通局面では地域主導の観光発展を促進できる可能性を高め、需給接合局面ではその可能性が、施設の経営条件や経営能力に依拠するようになってきています。

首都圏外縁部の温泉観光地では、先進的かつ多様な個人観光需要への対応が不可欠です。草津温泉では宿泊業が媒介部門をめぐる情報流通と需給接合局面の変化に対応するために、個々に営業努力を重ね、その過程において一部の施設が個人客向けの新たな観光サービスを創出し発信していることが明らかになりました。そしてその集積が、草津温泉が全体として提供可能な観光サービスの先進化と多様化を促進し、首都圏の観光需要へ対応しているのだと理解できます。

こうした状況に対して草津温泉の地域組織も、情報流通と需給接合の機能形成と強化を図りました。結果、情報流通は成功裏に展開しましたが、需給接合は十分な成功をみていません。一般的に、地域主導の観光発展の議論では地域組織の役割が高く評価されています。しかし今回の事例では、地域組織が需給接合局面における地域主導を担うことは、首都圏の大企業たるネットエージェントの利用者と利用施設の増加や、宿泊施設の顧客獲得の個別化といった状況の中で、実現可能性に乏しいといえます。しかしながら、草津温泉の地域組織そのものは瓦解していません。地域の窓口やイベント運営、勉強会等の会合の開催といった取り組みが宿泊施設経営者たちから精力的に実施されていることは、地域組織の積極的な役割を強調する主張とも符合します。

ただし草津温泉では、例えば外国人旅行客の獲得を課題として地域組織がグローバルマーケティングに取り組んでいるものの、大規模施設の一部では独力でそれを実行し、大きな成果を得ている例もあります。また現地調査では、特に若手経営者の中で、地域組織には勉強会やイベントなどの取り組み自体よりも、それを通した地域内の他の経営者との非公的な関係構築の場（情報技術者コミュニティのような）としての側面に意義を見出す者もみられました。地域組織には、地域的な取り組みの実行組織としてだけでなく、ローカルな利害調整や地域貢献の場としての本質的な役割を今後どこまで果たせるのかがより強く求められています。

以上のように、草津温泉は、個人旅行化と情報社会化を背景に、個々の宿泊施設がネット利用導入を一つの契機として、ローカルな地理的環境とそれによる社会構造から規定される経営上の条件不利性を克服しようとし、その過程で生じた、観光サービスの創出やその情報流通によって、媒介部門との依存関係を変質させながら首都圏の観光需要に対応しています。そして、地域組織には媒介部門に準ずる機能形成だけでなく、伝統的なローカルな調整機能が一層に求められています。

この事例は、地域主導の観光発展の文脈では、情報流通局面においては宿泊業と同業者団体それぞれが自身の個性を効果的にアピールできる状況にあるという意味で、地域主導の観光発展の可能性が認められました。需給接合局面においては、宿泊業では旅行代理店からの脱却傾向があり、地域主導の可能性を認められますが、逆にネットエージェントへの依存も進んでおり、また地域組織が媒介部門に準ずる需給接合機能を持つことも難しいといった限界も認められました。このように宿泊業のネット利用導入を切り口に情報流通と需給接合の両局面を分析することで、従来把握されなかった、観光地の発展がどのような位相でいかに地域主導になりうるのかという可能性と限界を具体的に把握することができました。

ネット利用導入を契機として改めて浮き彫りになったのは、個々の宿泊施設の経営努力や営業努力が観光地を変容させる一つの原動力になることです。これまで観光学では地域主導の観光発展論において、「実際に誰が地域を主導するのか」が論点とされており、行政や地域組織や地域住民がその主導者として重要視され、一般的に地域の宿泊業等の観光産業はそれらに従属的な存在として位置づけられる面もありました。

しかしながら草津温泉では、個々の宿泊業こそが地域を主導する存在です。観光地の発展には、地域の観光産業による魅力的な観光サービスの創出が絶対的に不可欠であり、個々の観光産業こそが地域の最大の主導者になることとの必要性は、改めて強調されるべき点です。そして、その成否には大きな地域差があります。草津温泉の場合、個々の宿泊業が地域を主導するのは、草津温泉が首都圏の巨大な個人旅行市場の存在する首都圏外縁部の温泉観光地であるという地理的環境のもとにあることが影響しています。こうした地域の地域組織には、もちろん個々の事業者単位では担えない役割がある事自体は変わりませんが、今後は、宿泊施設がより自由に多様な宿泊サービスを企画し、より個別に顧客獲得を進めていこうとする、個々の事業者のある種の自由を具現化できるよう、こうした個別化や独力化を尊重しするような在り方が求められます。

別のいい方をすれば、その地域の地理的環境とそれに基づく社会構造によるローカルな束縛は、草津温泉のような地域では、ツーリズムをめぐる電子的テクノロジーの発達と利用拡大にともなって、部分的にせよ次第に緩和されていくはずです。それは宿泊施設のようなローカルな諸主体にとっては、ローカルな空間における自由の拡大を意味します。しかしながら今回の事例で見たように、その自由の拡大は、時にネットエージェントへの依存という、より広域な空間における束縛に組み込まれることと表裏一体でもありました。ネット利用をめぐる自由の拡大は結局、テクノロジーを用いずに草津温泉というローカルな空間で束縛されるのか、あるいは用いてより広域な空間で束縛されるのかという、「いかなるスケールの空間において束縛されるか」の違いでしかないのでしょうか。

終章　自由の地域差

ここまで、いくつかの事例からいくつかの自由を考えてきました。それらは次元の異なる事象であり、一括して厳密に論じることはできないかもしれません。しかしここではやや厳密性に欠けることをいとわず、あえて大胆に、これらの間に通底する自由の問題を論じてみたいと思います。それによって、個別的な事象の中から、普遍的な、自由のある側面を見ることもできるからです。

＊　＊　＊

本書の出発点は、「いまの世の中は自由すぎるのでは？」という疑念にありました。

先に論じたように、「自由すぎる」というのは、「自由」とは何なのかをめぐる今日的な問題です。そこには、権威や規範や制度といった近代的な束縛が必ずしも絶対的なものではなくなって流動化し、何が何をどのように束縛するのかが流動的になったという社会全体の底流があります。

もちろん世の中には様々な束縛が依然として存在し、あらゆる人々が「完全なる自由」の世の中を生きられているわけではありません。ただ全体として、人々は権威や規範や制度などによって自らを強く束縛してきた既存の集団から個人として解放されるようになり、消極的な自由が拡大してきたと考えられるようになってきました。

しかしその結果、個人の選択は、集団のレベルではなく、個人のレベルで為さねばならなくなったとも言われるようになりました。自分の問題は自分で解決せねばならず、自分はいかに生きるのか、いかなる選択をするのかという責任が、これまで以上に、常に自分自身に突きつけられるようになっています。既存の集団に束縛されていれば、選択の責任は部分的にせよ集団が自動的に負ってくれる面もありましたが、そこから解放された結果、自動的に選択肢を提案したり選んでくれる集団はいないし、あるいはいたとしても、その選択肢が妥当である保証はすでにないし、その保証がないことを誰もが分かってしまっています。

そうして既存の集団から分解された個人が「自由すぎる」状況を持て余しているのならば、自らが社会のなかで主体的に何事かを成そうとするために、何らかの集団を自ら再構築することが求められます。それはいい方を変えれば、自分を束縛する集団を自分自身で選択するという行為です。積極的自由の拡大や行使は、そうした集団を構築したり、それに参加したりすることだといえます。社会に関与することは、とりもなおさず、他者に何らかの形で束縛されることを意味します。自らが誰に（何に）束縛されるかを主体的に選択することは、その人の積極的自由を構成する一つの重要な側面です。問題は、それがいかに可能なのかということです。

本書では、こうした自由と束縛の関係を、地域的・空間的な視点から把握しようとしてきました。すなわち「人間はみな必ずどこかの『地域』の中に存在し、その地域の『地理的条件』の影響下に置かれている」という前提に立って、地域が人々にもたらす自由と束縛の関係と、その空間性を検討してきました。

そして、こうした「自由すぎる」状況や、そこでの自由と束縛の再構築が先鋭的に表れるのが、インターネットという電子的テクノロジーの利用というシチュエーションです。それゆえ本書では、人々がインターネットを利用することで、その人々がいる地域に関わる「束縛の構造」をめぐって、その地域の個人や組織が「どれだけ自由になれるか」を分析してきました。

＊　＊　＊

テクノロジーを利用して自らの自由を拡大しようとする者（自由の主体）は、抽象的な「どこかの空間」にいるのではなく、現実には、様々な固有の特性を持つ、何らかの具体的な「地域」に存在します。それゆえ、自由の主体はそれぞれの地域において、地域固有の様々な束縛の元に置かれています。それはその地域の地理的条件（どこにあるか、どんな場所なのか）や、そこから影響を受けて生まれた社会的条件、たとえば経済力や諸主体が埋め込まれている社会関係などによる束縛です。

こうした自由の主体を束縛する諸要素からなる「束縛の構造」は、本書ではその空間スケールから二つに分け、ある地域に固有のローカルな性質をもつものを「ローカルな束縛の構造」と呼び、電子的テクノロジーによって介在される、不特定のより広い空間における、より一般的な影響力を持つそれを「広域な束縛の構造」と呼びました。

自由の主体が存在する地域には、それぞれに固有の「ローカルな束縛の構造」があります。それぞれの主体は電子的テクノロジーを利用しながら、その主体が存在する地域の「ローカルな束縛の構造」を部分的かつ漸進的に克服し、自由になっていくことができます。それは「ローカルな束縛の構造」からの自由、すなわちローカルな消極的自由の拡大です。

ただしテクノロジーの利用拡大は、消極的自由の拡大と引き換えにして、個人や組織の活動やコミュニケーションの場を、「ローカルな束縛の構造」を超えて、電子的テクノロジーが介在する不特定の広い空間へと次第に移行させます。それは、ローカルな空間よりも、不特定のより広い空間における「広域な束縛の構造」が自由の主体に影響するようになったから、ローカルな消極的自由が拡大するのだともいえます。すると多くの主体は、「ローカルな束縛の構造」からの自由を得ることと引き換えに、「広域な束縛の構造」の影響下に置かれ、その構造はローカルでないがゆえに、改変することが従来よりも困難になる可能性があります。

したがって自由の主体が電子的テクノロジーをめぐって「どれだけ自由になれるか」は、地域的・空間的には、「ローカルな束縛の構造」からの消極的自由を得る可能性を高めるとともに、積極的自由の可能性は、より強固で手の届きにくい「広域な束縛の構造」のもとに置かれるようになると考えられます。それは本来「束縛の構造」の外部の自由な領域にあると考えられてきたネット利用という行為が、次第に「束縛の構造」に飲み込まれていく、あるいはそれに変質していく過程でもあります。

いまの世の中では、様々なシチュエーションで電子的テクノロジーを利用することが当然です。そのことは、ある主体にとって、自らが存在する地域の「ローカルな束縛の構造」からは、テクノロジーを効果的に利用することで、消極的自由を得られる可能性を高められるけれども、同時に、より広域な空間スケールにおいて、積極的自由がより強く束縛されることになりうるのだといえるでしょう。私たちは、ローカルな消極的自由の拡大と積極的自由の非ローカル化という、消極的自由と積極的自由が空間的に乖離していく状況におかれていると考えられます。

積極的自由を確保し拡大するということは、自らを束縛する構造から解放されるだけでなく、その構造に主体的に関与して、それを改変したり、自ら新しい束縛の構造を作ることでもあります。それを、二つの自由の空間的乖離が進むなかで具現化するためには、地域の諸主体が関与できる「ローカルな束縛の構造」を再構築し、「広域な束縛の構造」に対抗する力を持とうする、その地域ならではの「自由の行為」の（再）構築や拡張が必要です。

＊　＊　＊

自由と束縛をめぐる本書の論点は、こうした「ローカルな束縛の構造」の再構築はいかに成立し、「広域な束縛の構造」への反作用として存在できるのかということです。それを理解する視座として、本書では、電子的テクノロジーの利用拡大によって、「ローカルな束縛の構造」のすべてが「広域な束縛の構造」に置き換わっているのではなく、「ローカルな束縛の構造」が部分的かつ漸進的に、あるいは一時的に「広域な束縛の構造」に転移しているという立場に立ちました。すなわち、自由と束縛の関係が、ローカルな空間と広域な空間の間で複雑に分解されながら再構築されているはずです。本書では、現実の地域や空間における現実の人々の行為のなかで、どのような種類の自由と束縛が、ローカルな空間と広域な空間に、どのように存在するようになったのかを、次のような、「自由の行為」と「束縛の構造」の相克の事例から理解することを目指してきました。

一．インフルエンサーの分析では、①彼ら彼女らによる「自由」なSNSの利用が、特に都市部で他者からつねに「見られている」ことを意識せざるを得ない相互監視的な情報環境を生み出しており、SNSを用いてより自由に場所の情報をやりとりできるようになったがゆえに、自らがどのような場所でどのような観光・レジャー行動をするかが束縛されていること、②しかし彼女ら彼らが、記号的価値の高い情報を収集して選別し、自らを束縛するネット上の情報流通状況を改変する目的でローカルな対面接触を行い、身体を介在する社会関係を構築し拡大することが、結果的にネット上での相互監視的な「束縛の構造」を改変していることが示された。

二．ITベンチャーの例では、その集積と発展は、情報技術者が「自由に活動できる地域」で促進されるという学説をふまえて、そうしたローカルな自由がどのように生まれているのかを分析した。その鍵は、技術者たちが自発的に作る、「コミュニティ」と呼ばれる対面接触の場にあり、①日本ではそれが東京一極集中という地域構造のなかで、東京と地方で異なる形で作り出されていること、②地域の企業や地方政府が、こうした技術者たちの自由を求める活動の意義を理解し、技術者の自由を尊重し促進する仕組みを構築したことにより、ITベンチャーが集まり発展していることが示された。

本編ではそれぞれの経緯を詳述したが、いわば、地域に関わる様々な情報技術者を「自由に活動させる束縛」が存在している地域は、「自由に活動できる地域」としてITベンチャーを惹きつけ成長させている。そしてこうした「自由な地域」の在り方は東京と地方都市で質的に異なる形で成立しており、東京のモデルだけが最適解なのではなく、そこには地域的な多様性がありうる。

三．山間部の伝統的な温泉観光地の例では、その内部構造に注目して分析した。温泉観光地は伝統的に、温泉という地下資源をめぐる強い社会的な束縛が存在する。そこでは、①宿泊施設のネット利用の形態やその積極性は、地形や歴史に基づく経営形態や社会構造といった「ローカルな束縛の構造」から影響を受ける形で、施設間で画一的ではなく多様であること、②なかでも実力のある一部の施設は、経営戦略の変化とインターネットの積極的な利用によって、「ローカルな束縛の構造」からの消極的自由をある程度まで得ることができたこと、③しかしそれと並行して、少なくない数の宿泊施設は、大手ネット予約サイトの存在に依存するようになりつつあることが示された。

このことは、宿泊施設はネット利用によって全体的には「ローカルな束縛の構造」から解放されつつあるものの、一部の施設では、地域外部のテクノロジー企業への依存という形で「広域な束縛の構造」のもとに置かれつつあることを意味している。

これらはごく限られた、極端な事例にすぎません。しかし、そうであるがゆえに、ここから「自由の行為」と「束縛の構造」の相克をめぐる、象徴的な、地域的で空間的な諸側面を読み取ることもできます。まず、これらの事例の共通点は、電子的テクノロジーの利用をめぐる地理的環境と社会構造の影響を無視できないことです。ネット利用によって「どれだけ自由になれるか」は、その地域に既存の地理的環境や社会構造といった「ローカルな束縛の構造」からの影響を受けざるを得ませんでした。

①インフルエンサーのSNSを用いた「自由」な情報利用は、実際には都市部と非都市部の情報環境の差異によって「束縛」されていた。
②技術者たちの「自由」なコミュニティは、東京一極集中の地域構造を反映しつつ構築されていた。
③宿泊施設のネット利用は、温泉観光地内部の伝統的な諸構造の影響下に置かれていた。

つまり技術的にできることが即、どの地域でもすぐに、あらゆる主体の間で同質的に実現されるわけではありません。テクノロジーによって「ローカルな束縛の構造」の全てを解消することは必ずしもできないのです。

ただし、反対に「ローカルな束縛の構造」が、テクノロジーの利用方法やそれによって得られる自由の可能性をすべて決定しているわけでもありません。分析した事例からは、ネットがなければありえなかった形で、実際に人々や組織の空間行動や地域の構造が変わっていることも分かります。

①インフルエンサーの例では、ローカルな血縁、地縁、職縁などに頼らずとも個人間での自由な観光・レジャー情報のやりとりが行われるようになった。
②情報技術者の例では、企業組織に縛られない活動が、コミュニティという場で、東京だけでなく地方都市でも成立するようになった。
③温泉観光地の例では、特定少数の宿泊施設を頂点とした、歴史的に形成されたローカルな社会構造から、宿泊施設の経営がより解放されている。

たしかに、地理的条件や社会構造といった「ローカルな束縛の構造」は、テクノロジーの使い方や、それによって得られる自由の在り方に影響を与えます。しかしその影響下で、テクノロジーを使う人々や組織は、「ローカルな束縛の構造」を部分的にせよ克服し改変してもいます。だから、個人や組織がテクノロジーの利用によって自動的に「ローカルな束縛の構造」からの自由が得られるという技術決定論的な見方も、「ローカルな束縛の構造」によって個人や組織がテクノロジーを利用して得られる自由が決まってしまうという社会決定論的な見方も、いずれも妥当な見方とはいえません。電子的テクノロジーを利用した一部の主体が、ローカルな社会構造や地理的環境や経済力などに束縛されつつも、それを漸進的かつ部分的に克服しながら「ローカルな束縛の構造」からの消極的自由を得られる機会を広げています。ただし同時に、電子的テクノロジーを介在した「広域な束縛の構造」が強化されていることも指摘できます。分析の例でいえば、

①SNSの利用は、特に都市部では観光・レジャーの行動をめぐるネット上での個人間の相互監視的な情報環境を生み出し、それを強化した。

②情報技術者は企業組織の束縛がおよばない技術者コミュニティを求めたが、コミュニティは、ネット上で地域を超えて繋がりあった技術者同士の、情報技術者個人としてのコミュニティへの貢献が求められる相互束縛の場でもあった。

③温泉観光地の宿泊施設では、地域内部の地理的環境と社会構造からの自由を得る代償として、地域外部の大手ネット予約サイトへ依存するようになった。

また、こうした「広域な束縛の構造」からより強く束縛されるのは、よりフォロワーの少ない若者や、より経営資源の少ないITベンチャー、より小規模な宿泊施設など、様々な意味で必ずしも実力や機会にめぐまれにくかった個人や組織である傾向も見られます。すなわち、ある種の実力主義的状況が存在していることや、それが強化されていることもうかがわれます。

こうした「広域な束縛の構造」が拡大するなかで、「ローカルな束縛の構造」はどうなるのでしょうか。後者は前者に組み込まれ、消極的自由と積極的自由が空間的に乖離していくだけなのでしょうか。

事例の中では、新たな「広域な束縛の構造」を部分的にせよ改変する機会として、テクノロジーではな

く身体の介在、すなわち対面接触によるローカルなコミュニケーションの場が、改めて重要となる可能性も見られました。例えばインフルエンサーも情報技術者も、テクノロジーの利用に長けているにも関わらず、逆に対面接触によって身体を介在したローカルな社会関係を作り拡大する機会を作ることで、自らに対する束縛を改変できる余地を作ろうとしています。また、温泉観光地において、テクノロジーによって不要化するとも考えられていた地域組織にも存在意義が認められていました。

①インフルエンサーの事例では、都市部において情報量が飽和した情報環境が形成される中で、個人が自分にとって価値のある情報を選別するフィルタリングのために、対面接触を介したコミュニケーションを行い、ローカルな社会関係を構築し活用していた。それは、場所の情報が多量かつ強制的に供給されるシステムと化したネット上の情報環境のなかで、個人が個性的に自由に生きようとするための、戦略的な「顔の見える人間関係」の再構築だといえる。

②技術者コミュニティでは、技術者たちの自由を求める個人的な行為が、コミュニティの会合という、所属組織を離れた個人間の対面接触の場を創出し成長させ、その身体を介在した営為が、地域の新しい在り方や特性を生み出していた。それが地域において成立するのは、技術者と企業や行政などの諸主体が自分たち技術者のため、ＩＴ（ベンチャー）の発展のため、そしてそれらが存在する地域のためにという、いわば地域をめぐるローカルな全体の利益のために地域的な共通目標を設定していることが鍵であった。その営為は、東京と地方都市とで、その地域の特性を反映する形で、地域差を示しながら成立している。

③温泉観光地の例では、大手ネット予約サイトの台頭という「広域な束縛の構造」が拡大し、各施設の経営や集客がより独力化・個別化したが、地域の「組合」や「協会」という、身体を介在した伝統的な地域共同体の瓦解や無用化は生じていない。それらの組織には、ローカルな社会関係を編成して調停し、地域の在り方を決定し運営する役割が一層に求められ、組織はそれに対応しようとしている。そのことは、インフルエンサーの対面接触や技術者コミュニティのような、電子的テクノロジーの進展によって新たに生まれた「場」だけでなく、従来から地域に存在する伝統的な「場」にも、むしろ逆説的に今日的な価値が求められていることを意味している。

これらはわずかな例ですが、少なくとも示しているのは、「ローカルな束縛の構造」が弱まっても、それによってローカルな地域の諸主体が、「広域な束縛の構造」によって一方的に束縛されるだけの存在になるわけではなく、「広域な束縛の構造」に対する反作用が、地域の中に存在するということです。また、そうした反作用が発生する場は様々です。それはインフルエンサーの対面接触や技術者コミュニティのように、新しく現代的な姿で構築されることもあれば、温泉観光地のように伝統的な地域組織にその今日的な存在意義が求められて再構築されることもあります。またそれは、技術者コミュニティのように、大都市では個人の自由な活動の主導によって構築され、地方都市では地方政府の政策的な誘導が不可欠であり、地形的に隔絶された温泉地では伝統的な地域共同体のローカルな束縛が生き残る形で再構築されています。「ローカルな束縛の構造」は、それぞれの地域の文脈に合う形で部分的かつ漸進的に（再）構築されつつあります。

＊　＊　＊

ここまでの検討をふまえ、本書の事例において、電子的テクノロジーの利用をめぐってどのような自由と束縛が、ローカルな空間と広域な空間のあいだでどのように再構築されたのかを整理したいと思います。図17は、それをシンプルに模式化したものです。この図では、縦軸で空間スケールの広狭を、横軸で自由と束縛を区別しています。左側が「束縛の構造」にあたり、右側が、それに対する「自由の行為」の経緯を示します。

まず、どの地域も固有のローカルな地理的環境を持ちます。その環境と、「東京一極集中」のような地域構造やそれに基づく情報環境の地域差などの影響を受けて、ローカルな空間では伝統的な社会構造やそれに規定される社会関係という、「ローカルな束縛の構造」が形成されます（左下）。

「自由の主体」は電子的テクノロジーの利用を通して、①伝統的な社会構造やそれに規定されるローカルな社会関係にとらわれない広域な社会関係を構築したり、既存の社会構造に必ずしも埋め込まれない、より柔軟な情報流通や需給接合を可能にするという意味で、「ローカルな束縛の構造」からの消極的自由を得ることができます（右上）。ただし、それによって「ローカルな束縛の構造」の全てが無効になるのではなく、その束縛の力は弱まりながらも残存します（左下）。また、②「ローカルな束縛の構造」からの消極的自由を得た結果、「自由の主体」はネット上において個人間の電子的な相互監視のもとに置かれたり、自身の活動が部分的にせよ、ネット企業の提供サービスに依存する形で、「広域な束縛の構造」の影響下に置かれます。こうして電子的テクノロジーの利用をめぐって、「束縛の構造」はローカルな空間を超え、その改変が容易ではなくなります。その意味で、積極的自由が制限されます（左上）。

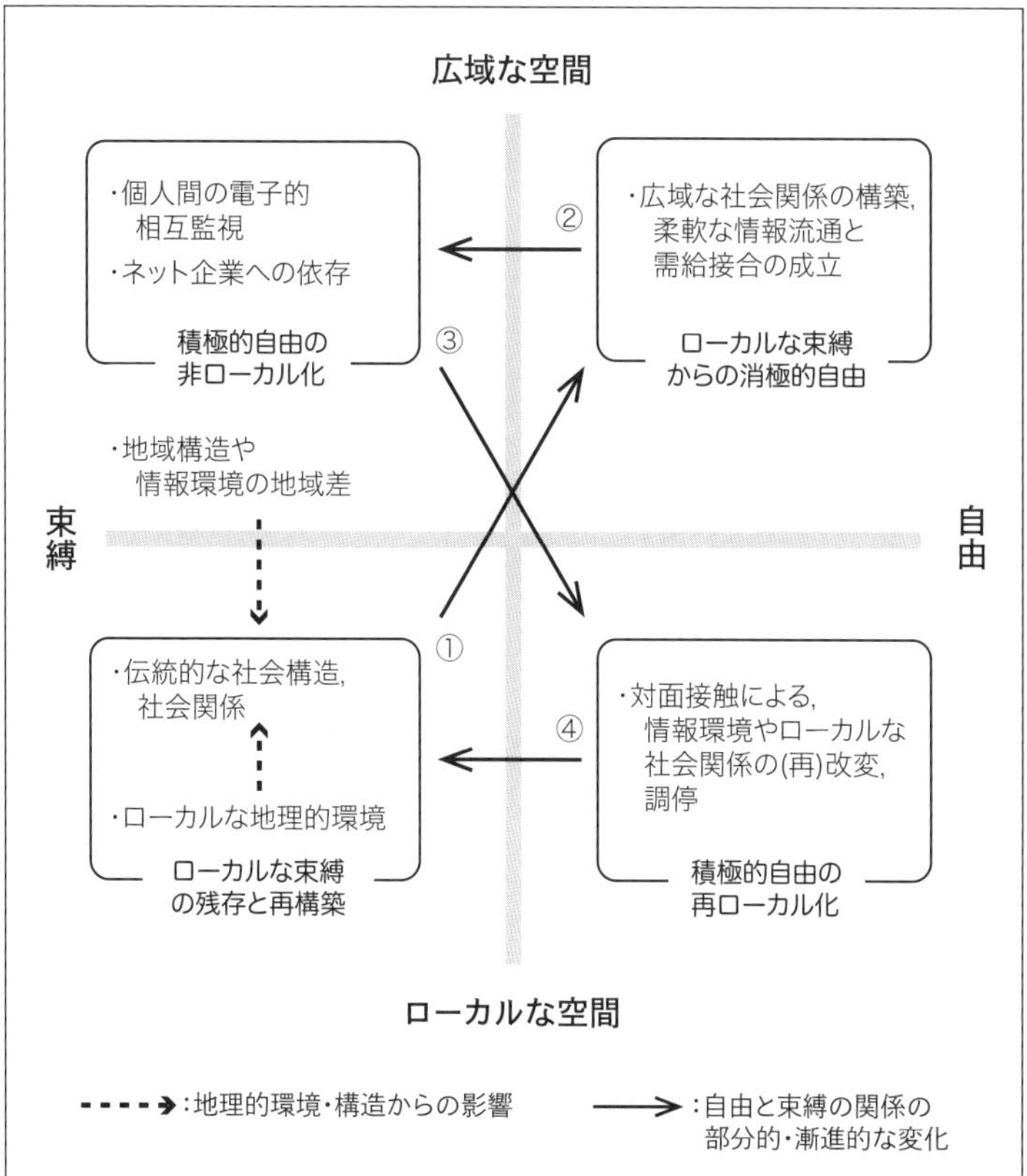

図17　電子的テクノロジーをめぐる自由と束縛の空間的再構築

（筆者作成）

ただしこうした「広域な束縛の構造」は、ローカルな空間での対面接触を介して改変することも可能です。すなわち③「自由の主体」は、電子的テクノロジーの利用を前提としつつ、対面接触によるコミュニケーションを戦略的に行って、ネット上の相互監視的な情報環境や社会関係を改変したり、ネット企業の提供サービスだけでは実施できないような、ローカルな社会関係の調停などを行っています。それはネット上での広域な社会関係の存在を前提として、ローカルな空間において新しい社会関係が構築されたり、既存の地域的組織の役割が再構築されるという形をとります。このことは「ローカルな束縛の構造」が、「広域な束縛の構造」に代替できない形で再構築されることによって、積極的自由の可能性が再度ローカル化することを意味します（右下）。そしてそれは④地域の別の主体にとって、新たな「ローカルな束縛の構造」の再構築でもあります（左下）。

このように、電子的テクノロジーの利用をめぐっては、「自由」と「束縛」は、ローカルな空間や広域な空間のどちらかで完結するのではなく、またどちらかの空間から構造的に決定されるのでもありません。起きているのは、「自由」と「束縛」が、ローカルな空間と広域な空間を循環しながら、それぞれの空間に分解され再構築される現象だと理解できます。したがって電子的テクノロジーをめぐって、自由の地域差は、こうした空間スケール間の「自由」と「束縛」の循環的な変化のなかで生じていくのだと結論することができます。

＊　＊　＊

本書は「『自由である』という状態には地域差がある」という命題のもと、電子的テクノロジーの利用というシチュエーションを切り口に、人々がどれだけ自由になれるのか、その自由と束縛はどのような姿をとるのかということを、地理学的な視点から考えてきました。

繰り返すように、自由を尊重することは、ある面では、自由を束縛することと表裏一体です。だから、電子的テクノロジーのさらなる発達による「広域な束縛の構造」の拡大が必然である今日、どのような地域では、どのような自由の尊重＝束縛の仕方がありえるか、ということを考えることは、さらに重要になると思われます。今日、私たちが自由になるために、より考えるべきなのは、単なる「個人的な自由」を広げる方法よりも、電子的テクノロジーの拡大を前提とした、地域固有の「不自由さ」の適切な在り方なのかもしれないと、筆者は思います。

地域固有の「不自由さ」のなかで積極的自由を得ていく方向は、ある地域や空間に特殊な自由を重視する考え方です。一方、電子的テクノロジーを介在した広域な束縛の影響下におかれることを代償としてでも、ローカルな束縛からの消極的自由を得ようとするのは、特定の地域や空間に限定されない、地域的・空間的に普遍的な自由を重視する考え方です。本書は、「自由」には地域的・空間的にその二種類がありうることを指摘した上で、そのどちらか一方が「自由」なのではなく、また、今後、どちらか一方の「自由」しか成立しなくなるのでもないと考えてきました。つまり「自由」と「束縛」が、ローカルな空間と広域な空間のあいだで、空間的に分解され、再構築されていることを論じ、その過程を説明してきました。

いずれにせよ重要なのは、「どのような地域では、どのように自由になれるのか」という統一的なパターンを作ったり、それを知って、それに適合する形で生きようとすることではないと思います。それは結局、自由をもてあまし、自分を誰かの作った束縛のもとに置こうとする行為です。また、そのようなパターン自体がそもそも成立しないとも筆者には疑われます。そうではなく、その地域だからこそできることや、その地域ならではの固有性を、地域に関わる諸主体が主体的に作り出していこうとする営為こそが、「自由である」状態なのかもしれません。

そしてそれを実践して自由であろうとする際には、本書で論じたように、自由の空間的・地域的な多様性を知ることが鍵になるのではないでしょうか。再度引用しますが、先に紹介した人文地理学者、ヴィダル・ドゥ・ラ・ブラーシュは、次のように述べていました。

地理学の存在理由はローカルな限定性を見出すことではないであろうか。それは場所の知識から原因の知識に向かって進む、「どこに」から発足して「なにゆえに」に到着せんとするものである（ブラーシュ、一九九一（Vidal de la Blache, 1922）、二七八頁）

彼の言葉を借りれば、自由を求める営為とは、地理学的には、「自由の『ローカルな限定性を見出すこと』」なのだといえるかもしれません。

「ローカルな限定性」の価値を重要視することは、現代の人文地理学の基本的な考え方でもあります。経済のグローバル化や電子的テクノロジーのさらなる発達のなかで、世界が均質化し「フラット化」するなかで、そうした地域の固有性がどれだけ残存できるのか、もしくは残存する意味や価値が本当にあるのかということは、いま多くの地理学者たちが共通して抱いている問題意識です。

そういう意味では、本書で論じてきたような「ある地域における自由」や「どれだけ自由になれるかの地域差」を理解することは、人文地理学の今日的な問題を論じる上でも重要な視点になりうると考えられます。あるいは「自由であること」がどのような状態なのかということも、世界の均質化とともに、空間的・地域的に均質化しているのかもしれません。そうしたなかで、その地域ならではの自由の在り方＝自由の空間的・地域的な多様性に、どのような価値や意義があるのかを、今後粘り強く、継続的に、多面的に考えていくべきだといえるでしょう。

あとがき

本書の内容を決める際には二種類の方向がありえました。

一つは、博士論文を中心に筆者の研究成果を厳密にまとめた学術書を作ることです。そしてもう一つは、研究成果を用いつつ、より大きなテーマを論じる思い切った内容にするかです。見ればわかりますが、本書は後者です。

本書は、筆者が所属する流通経済大学において、社会学部創設三〇周年を記念して刊行された叢書の一つです。三〇周年の記念事業ということで、ある程度「自由」に書ける機会であり、筆者のような若手研究者としては、昨今の出版情勢のなかで、貴重で幸運な機会であったはずです。なので本書ではあえて、自分には普通なら書けなさそうな内容にすることを考えました。つまり筆者のような未熟な若手研究者が、地理学において「自由」という大きいテーマを扱い、しかも学術的な厳密性よりも、おおらかさとシンプルさを重視するということです。

筆者の個人的な印象ですが、日本の地理学にもっと欲しいものも、「自由」のような一般的なテーマを論じる、ある種の思想性ではないかと思っていました。日本の地理学は関連分野と比較して、より科学的な分析や議論を得意としているように思います。筆者も学術論文を書く際はそうしたスタンスをとってきました。しかし一方で、本書の「いまの世の中は自由すぎるのでは？」「我々はテクノロジーで本当に自由になれるのか？」「本質的な自由に必要なのは、単なる『個人的な自由』よりも、地域固有の『不自由さ』なのでは？」といった問題には、厳密な科学的探究だけではおそらく答えが出せないだろうと思っていました。そしてそのためには学術的な厳密性を超えた、思い切って飛躍した議論を試みるべきだと思われました。その試みを通して、本書は電子的テクノロジーを切り口として、自由と束縛の問題を地理学的に論じられる可能性を示すことができたと思います。

もちろん、筆者は本書だけで、地理学の分野として「自由の地域差」や「自由と束縛の地理学」なるものを確立できたとは考えていません。学術的な意味で「ある地域における自由」や、その地域差を地理学的な問題とするには、改めて精密な議論が不可欠です。そこでは、本書でもわずかな数を引用したにすぎない、関連諸分野の様々な自由論を、地理学的な意味における自由と精密に接合する作業が必要です。それは本書では、ごく簡易的に整理するにとどめた部分です。こうした作業を実践することは、研究上の今後の大きな課題です。

もう一点の試みとして、序章にも書きましたが、本書は自由というテーマを入り口とした、人文地理学の教科書や入門書のようなものを目指してもいます。学校の科目としての「地理」の存在は誰もが知っていても、学問としての「地理学」の世界は、一部の研究者と愛好家をのぞけば、あまり知られていないのが現状です。人文地理学は、一般的には比較的マイナーな学問であることが否めません。

しかし、あえて極言してしまえば、人文地理学は本質的に、何らかの意味で「自由の地域差」を論じているのではなかろうかと筆者は思います。なので本書では「自由」を入り口にして、人文地理学そのものを、それにまったく興味のない方々にもそれなりにわかりやすく、ごくシンプルに説明したいと思いました。そしてそのためには、人文地理学の古典のシンプルな紹介が必要だと考えました。第一章でヴィダル・ドゥ・ラ・ブラーシュの『人文地理学原理』に絞って、「自由」の観点から解説しているのはこのためです。
こうした、一般書としても学術書としても教科書としても「中途半端」な形を目指した本書の試みが、読者のうち一人にでも、何らかの形で成功してくれれば、存外の喜びです。

＊　＊　＊

はじめに述べたように、本書は筆者の既発表の学術論文の一部を元にしています。改稿にあたっては、できるだけ説明をシンプルにし、文献の引用も最小限にとどめました。各章との対応は次のようになっています。

第一部（序章、第一章、第二章、第三章）
…書き下ろし。
第四章
…福井一喜（二〇一九）「東京大都市圏に居住する若者の観光・レジャーにおけるＳＮＳ利用――『ＳＮＳ映え』を超克する若者たち――」E-journal GEO（日本地理学会）一四巻、一～一三頁。
第五章、第六章
…筆者の博士論文、Fukui, K.（2016）「Local Potential Fostering IT Venture Companies: An Analysis of Programming-Community in Japan」（筑波大学）より一部を抜粋。
…福井一喜（二〇一六）「東京のベンチャーＩＴ企業をめぐる情報技術者コミュニティの役割――東京の大規

模会合の分析を通して――」経済地理学年報（経済地理学会）六二巻、八七～一〇一頁。
第七章
…福井一喜（二〇一五）「群馬県草津温泉の宿泊業におけるインターネット利用の動態：宿泊施設の経営戦略に着目して」地理学評論（日本地理学会）八八巻、六〇七～六二二頁。
第八章
…福井一喜（二〇一七）「温泉観光地における需給接合と情報流通の再編――群馬県草津温泉における宿泊業のインターネット利用の分析から――」地学雑誌（東京地学協会）一二六巻、五九五～六一五頁。
終章
…書き下ろし。

本書は、数え切れない方々のご協力・ご助力なしには成立しませんでした。

まず事例分析では、多数の調査協力者から得たデータを元にしています。フィールドワークではたいへん多くの方に協力していただきましたが、みな、快く親切にご教示くださいました。また筆者の研究の性質上、インタビュー調査をさせていただいた方々は世の先駆者ばかりであり、学問的にだけでなく、その「自由」な生き方に筆者個人として様々に学ぶところがありました。ありがとうございました。

また、多くの先生方から叱咤激励をいただいてきました。法政大学文学部地理学科で、進路が決まらず途方に暮れていた筆者に研究者の道を示してくださった山本茂先生（現・埼玉大学名誉教授）、小原丈明先生、筑波大学大学院に進学後にご指導をいただいた兼子純先生（現・愛媛大学）、呉羽正昭先生には、改めて感謝を申し上げます。また日頃お世話になっている本学同僚の先生方にもお礼を申し上げたく思います。特に本書の執筆にあたり、学内の学術研究会で発表の機会をいただいた際には、筆者の議論の過不足をご指摘くださるとともに、本書を「自由」を論じる思い切った内容にすることを後押ししてくださるなど、多くのご指導を賜りました（とはいえ、もちろん本書の内容の一切の責任は筆者にあります）。
研究者として平凡以下の才覚しかない筆者が、なんとか地理学者でいられるのは、調査協力者各位と先生方、また斯学の先輩後輩といった多くの方々からお世話になることができたからであり、筆者はつくづく運の良い人間だと思います。

＊＊＊

運といえば、妻子に恵まれたことこそ筆者の最大の幸運であろう。執筆についていえば、妻には、上智大学大学院でラトビアの教育制度を研究した経験から、本書草稿に忌憚のない意見をもらい、本年四月に生まれた長男には、筆者の抱きあやしながらの原稿執筆に付き合ってもらった。

右の方々に心より御礼申し上げます。

二〇一九年九月　筆者

引用文献

荒井良雄（二〇〇四）「変革期の流通と都市空間」荒井良雄・箸本健二編（二〇〇四）『日本の流通と都市空間』古今書院。

飯塚浩二（一九七五）「地理学の方法論的反省――特に人文地理学のために――」飯塚浩二（一九七五）『飯塚浩二著作集6　人文地理学説史　地理学批判』平凡社。

石森秀三（二〇〇一）「21世紀における自律的観光の可能性」国立民族学博物館調査報告、二三巻、五～一四頁。

石森秀三・山村高淑（二〇〇九）「情報社会における観光革命：文明史的に見た観光のグローバルトレンド」ＪＡＣＩＣ情報、九四巻、五～一七頁。

伊藤守（二〇一七）『情動の社会学――ポストメディア時代における〝ミクロ知覚〟の探求』青土社。

イリイチ、I著、渡辺京二・渡辺梨佐訳（二〇一五）『コンヴィヴィアリティのための道具』筑摩書房。Illich, I. (1973) *Tools for Coviviality*. Harper Colophon.

ヴァイディアナサン、S著、久保儀明訳（二〇一二）『グーグル化の見えざる代償　ウェブ・書籍・知識・記憶の変容』インプレス。Vaidhyanathan, S. (2011) *The googlization of everything: And why we should worry*. University of california press.

大屋雄裕（二〇〇七）『自由とは何か――監視社会と「個人」の消滅――』筑摩書房。

加藤幸治（二〇一一）『サービス経済化時代の地域構造』日本経済評論社。

川端基夫（二〇一三）『立地ウォーズ――企業・地域の成長戦略と「場所のチカラ」』新評論。

観光庁観光地域振興部観光資源課（二〇一四）「将来的な商品化に向けた観光資源磨きのモデル調査業務【報告書】」http://www.mlit.go.jp/common/001292926.pdf（最終閲覧日二〇一九年九月一六日）

ギデンズ、A・サットン、P著、友枝敏雄・友枝久美子著（二〇一八）『ギデンズ　社会学コンセプト事典』Giddens, A., Sutton, P. W. 2017. *Essential concepts in sosiology 2/E*. Polity Press.

グレイ、J（二〇〇六a）「序論」Gray, J. (1984) Introduction. ペルチンスキー、Z、A・グレイ、J編、飯島昇藏・千葉眞訳（二〇〇六）『自由論の系譜　政治哲学における自由の観念』行人社。Pelczynski, Z. and Gray, J. ed. (1984) *Conceptions of liberty in political philosophy*. The athlone press.

グレイ、J（二〇〇六b）「バーリン」Gray, J. (1984) On negative and positive liberty. ペルチンスキー、Z、A・グレイ、J編、飯島昇藏・千葉眞訳（二〇〇六）『自由論の系譜　政治哲学における自由の観念』行人社。Pelczynski, Z. and Gray, J. ed. (1984) *Conceptions of liberty in political philosophy*. The athlone press.

経済産業省経済産業政策局（二〇〇八）「ベンチャー企業の創出・成長に関する研究会最終報告書」http://dl.ndl.go.jp/info:ndljp/pid/3488201（最終閲覧日二〇一九年九月一六日）

佐々木博（一九九七）「上州草津温泉の文化景観の変貌」筑波大学人文地理学研究、二一巻、三六〜六七頁。

敷田麻実・森重昌之（二〇〇六）「オープンソースによる自律的観光：デザインプロセスへの観光客の参加とその促進メカニズム」国立民族学博物館調査報告、六一巻、二四三〜二六一頁。

シュムペーター、J、A著、塩野谷祐一・中山伊知郎・東畑精一訳（一九七七）『経済発展の理論――企業者利潤・資本・信用・利子および景気の回転に関する一研究――』岩波書店。Schumpeter, J. A. (1926) *Theorie der wirtschaftlichen entwicklung*, 2. Leipzig: Duncker and Humblot.

白井義男（二〇〇七）「ポスト・マスツーリズム――アウトバウンドの多様化とSITの事例による考察――」地域政策研究、一〇巻、三九〜五八頁。

人文地理学会編（二〇一五）『人文地理学事典』丸善出版。

鈴木謙介（二〇一三）『ウェブ社会のゆくえ――〈多孔化〉した現実のなかで』ＮＨＫ出版。

テイラー、C、M（二〇〇六）「カント」Taylor, C. M. (1984) Kant's theory of freedom. ペルチンスキー、Z、A・グレイ、J編、飯島昇藏・千葉眞訳（二〇〇六）『自由論の系譜　政治哲学における自由の観念』行人社。Pelczynski, Z. and Gray, J. ed. (1984) *Conceptions of liberty in political philosophy*. The athlone press.
土井隆義（二〇一五）「『いいね！』でつながる若者の人間関係——仲間意識を縛る関係不安と共依存」国民生活、三三巻、四～六頁。
中澤高志（二〇〇八）『職業キャリアの空間的軌跡——研究開発技術者と情報技術者のライフコース——』大学教育出版。
中村八朗（一九七三）『都市コミュニティの社会学』有斐閣。
中村隆文（二〇一九）『リベラリズムの系譜学　法の支配と民主主義は「自由」に何をもたらすか』みすず書房。
野澤秀樹（一九八八）『ヴィダル＝ド＝ラ＝ブラーシュ研究』地人書房。
野尻洋平（二〇一七）『監視社会とライアンの社会学——プライバシーと自由の擁護を越えて——』晃洋書房。
バーリン、I著、小川晃一・小池銈・福田歓一・生松敬三訳（二〇一〇）『自由論』みすず書房。Berlin, I. (1969) *Four essays on liberty*. Oxford university press.
バウマン、Z著、森田典正訳（二〇一八）『リキッド・モダニティ』大月書店。Bauman, Z. (2000) *Liquid Modernity*. Polity press.
バウマン、Z・ライアン、D著、伊藤茂訳（二〇一三）『私たちが、すすんで監視し、監視される、この世界について』青土社。Bauman, Z. and Lyon, D. (2013) *Liquid surveilance*. Polity press.
パリサー、E著、井口耕二訳（二〇一六）『フィルターバブル　インターネットが隠していること』早川書房。Pariser, E. (2011) *The filter bubble. What the internet is hiding from you*. Intercontinental literary agency.
フーコー、M著、田村俶訳（一九七七）『監獄の誕生——監視と処罰』新潮社。Foucaut, M. (1975) *Surveiller et punir –Naissance de la prison*. Éditions Gallimard.
ファーガソン、G、A著、大槻敦子訳（二〇一八）『監視大国アメリカ』原書房。Ferguson, A. (2017) *The rise of big*

data policing. New York university press.

福井一喜（二〇一八）「東京大都市圏の若者の観光・レジャーとＳＮＳ利用」地理、六三巻、一八～二五頁。

ブラーシュ著、飯塚浩二訳（一九九〇）『人文地理学原理　上巻』岩波書店。Vidal de la Blache, P.（1922）*Principles de géographie humanie.*

ブラーシュ著、飯塚浩二訳（一九九一）『人文地理学原理　下巻』岩波書店。Vidal de la Blache, P.（1922）*Principles de géographie humanie.*

ブライドル、J著、久保田晃宏監訳（二〇一八）『ニュー・ダーク・エイジ　テクノロジーと未来についての10の考察』ＮＴＴ出版。Bridle, J.（2018）*New dark age. Technology and the end of the futuer.* Verso.

フロム、E著、日高六郎訳（二〇一二）『自由からの逃走』東京創元社。Fromm, E.（1941）*Escape from freedom.* Frantz J. Horch associates agency.

ボイド、D著、野中モモ訳（二〇一四）『つながりっぱなしの日常を生きる――ソーシャルメディアが若者にもたらしたもの』草思社。boyd, d.（2014）*It's complicated: The social lives of networked teens.* New Haven: Yale University Press.

松原浩郎（一九七八）『コミュニティの社会学』東京大学出版会。

森重昌之（二〇一六）「地域主導の観光に対する住民意識と観光ガバナンスの実践に向けた課題――北海道標津町を事例に」阪南論集 人文・自然科学編、五一巻、七一～九一頁。

ライアン、D著、河村一郎訳（二〇〇二）『監視社会』清土社。Lyon, D.（2001）*Surveillance society. Monitoring everyday life.* Open university press.

山村順次（一九九二）「草津温泉観光発達史」草津町編『草津温泉誌』五～五五四頁。

Aoyama,Y.（2009）"Entrepreneurship and regional culture: the case of Hamamatsu and Kyoto, Japan." *Regional Studies*, 43, 495-512.

Aoyama, Y., Murphy, J, T., Hanson, S.（2011）*Key concepts in economic geography.* London, Thousand Oaks, New Delhi and Singapore : SAGE.

Aoyama, Y. (2013) "The IT Industry in Japan: Entrepreneurship and Servicization." in Cooke, P. and O'Connor, K. eds. *Asia Pacific Information Technology Industry*, London: Routledge, 107-125.

Bathelt, H., Malmberg, A. and Maskell, P. (2004) "Clusters and knowledge: Local buzz, global pipelines and the process of knowledge creation." *Progress in Human Geography*, 28, 31-56.

Baumol, W, J., Litan, R, E., Schramm, C, J. (2007) *Good Capitalism, bad capitalism, and the economics of growth and prosperity*. New Haven : Yale university press.

Castells, M. (1989) *The Informational City: Information Technology, Economic Restructuring, and the Urban-Regional Process*. Oxford, UK: Blackwell Publishers.

Castells, M. (2001) *The Internet Galaxy: Reflections on the Internet, Business, and Society*. USA: Oxford University Press.

Castells, M. (2009) *The Rise of the Network Society*. USA: Wiley-Blackwell.

Castells, M. and Himanen, P. (2002) *The Information Society and Welfare State–The Finnish Model*. USA : Oxford University Press.

Drucker, P, F. (1985) *Innovation and entrepreneurship*. New York City : Harper & Row publishers.

Flora, J., Sharp, J., Flora, C. and Newlon, B. (1997) "Entrepreneurial social infrastructure and locally initiated economic development in the nonmetropolitan United States." *Sociological Quarterly*, 38, 623-645.

Graham, M., Zook, M., and Boulton, A. (2013) "Augmented Reality in the Urban Environment: contested content and the duplicity of code." *Transactions of the Institute of British Geographers*, 38, 464-479.

Granovetter, M. (1973) "The Strength of Weak Ties." *American Journal of Sociology*, 78, 1360-1380.

Green, A., Li, Y., Owen, D. and Hoyos, M. (2012) "Inequalities in use of the Internet for job search: Similarities and contrasts by economic status in Great Britain." *Environment and Planning A* 44, 2344–2358.

Greenbrook-Held, J. and Morrison, P. S. (2011) "The domestic divide: Access to the Internet in New Zealand." *New Zealand Geographer* 67, 25-38.

Himanen, P., Tovalds, L., Castells, M. (2001) *The hacker ethic and the spirit of the information age*. New York: Random House.

Malecki, E. J. (1997) "Entrepreneurs, networks, and economic development: a review of recent research." in Katz, J. A. and Brokhaus, R. H. eds. *Advances in Entrepreneurship, Firm Emergence and Growth, Third Edition*, Greenwich : JAI Press Inc, 57-118.

Nijkamp, P. (2003) "Entrepreneurship in a modern network economy." *Regional Studies*, 37, 395-405.

Pearce, D.G. (2008) "A needs-functions model of tourism distribution." *Annals of Tourism Research*, 35, 148-168.

Pearce, D.G. (2009) "Channel design for effective tourism distribution strategies." *Journal of Travel & Tourism Marketing*, 26, 507-521.

Raymond, E. (1999) *The Cathedral and the Bazaar: Musing on Linux and Open Source by an Accidental Revolutionaly*. Sebastopol: O'Reilly.

Saxenian, A. (1994) *Regional advantage: Culture and competitions in Silicon Valley and Route 128*. Massachusetts: Cambridge and London: Harvard University press.

Saxenian, A. (2007) *The New Argonauts: Regional advantage in a global economy*. Massachusetts: Harvard University press.

Stem, E. (2007) "Why butterflies don't leave: locational behavior of entrepreneurial firms." *Economic Geography*, 83, 27-50.

Torvalds, L. and Diamond, D. (2001) *Just for fun: The story of an accidental revolutionary*. California: Waterside Productions.

Zook, M. A. (2004) "The knowledge brokers: venture capitalists, tacit knowledge and regional development." *International Journal of Urban and Regional Research*, 28, 621-641.

【著者紹介】

福井一喜（ふくい　かずき）

1987年　埼玉県生まれ。
筑波大学大学院博士後期課程修了，博士（理学）。
筑波大学大学院博士特別研究員などを経て，
現在，流通経済大学社会学部（国際観光学科）助教。
専門はネット社会化に関する観光地理学と経済地理学。

主要論文

「東京大都市圏に居住する若者の観光・レジャーにおけるSNS利用——『SNS映え』を超克する若者たち——」E-journal GEO（日本地理学会），2019年

「温泉観光地における需給接合と情報流通の再編——群馬県草津温泉における宿泊業のインターネット利用の分析から——」地学雑誌（東京地学協会），2017年

「東京のベンチャーIT企業をめぐる情報技術者コミュニティの役割——東京の大規模会合の分析を通して——」経済地理学年報（経済地理学会），2016年

「群馬県草津温泉の宿泊業におけるインターネット利用の動態——宿泊施設の経営戦略に着目して——」地理学評論（日本地理学会），2015年

「新聞広告を介した情報流通の地域的差異性——新聞間の比較分析から——」地理空間（地理空間学会），2013年

自由《じゆう》の地域差《ちいきさ》

ネット社会の自由と束縛の地理学

発行日　2020年1月24日　初版発行
　　　　2020年10月8日　第2刷発行

著　者　福井一喜
発行者　野尻俊明
発行所　流通経済大学出版会
〒301－8555　茨城県龍ヶ崎市120
電話　0297－60－1167　FAX　0297－60－1165

Printed in Japan/アベル社
ISBN978-4-947553-83-6 C0225 ¥1200E